Ⓢ新潮新書

曽野綾子

SONO Ayako

人間の基本

458

新潮社

構成・編集部

はじめに

つい先日、化粧品の広告をテレビで見ていたら、しきりに「見た目年齢」ということを言うんです。このクリームを使うと「見た目年齢」がこれだけ若くなるという話です。確かに今の女性たちは私の母の時代と違います。日本人の食事や生活状態がよくなったからでしょう、若くきれいな人がふえました。

でも一方で、私はある皮肉な外国人が「人は皆、その年齢ほどに見える」と言った言葉が好きなんです。つまり年を取れば、人は誰も体験がふえ、精神の内容も豊かになる、ということです。でも「見た目年齢」に狂奔して、本も読まず、美容やおしゃれだけ心がけていると、足場のない人間がふえて来そうな気がします。

足場というか、基本というのは、実に大切なものです。それがないと流されます。流されれば、自分を失いますし、死んでしまうこともあります。でも今の日本は、足場や基本は問題でなくて、末端が大切な時代になりました。それも時代の動きでしょう。

私は卑怯者ですから、流れにさからうということもしないんです。それでもそういう時に、ふと流れの傍に立って、半分立ち腐れのまま、川の中に立っている棒杭の姿に見とれることがあります。この本の背景には、そんな光景があるのかもしれません。

人間の基本……目次

第一章　人間本来の想像力とは

現実の中で生きる

私が作家として駆け出しの頃、よく家に来ていた年配の編集者がいました。いつもベレー帽を被り、紫のふろしき包みを抱えて家まで歩いてきては、玄関先で「いや、別に何てこともないんですが、ちょっと石坂洋次郎先生のお宅へ伺ったもので、ついでに――」とか言いながら私の顔色をうかがい、「で、その後何か書いていますか」と聞いてくる。夜廻りならぬ編集者の昼廻りで、あるところ見事な勘を持った編集者でした。そんなふうにして、私たち若い作家を育てて下さったんです。

かつては締め切りを守らず編集者を困らせる作家がたくさんいたものです。今は面倒な作家は嫌われるということもありますが、迷惑をかけるほど編集者に愛された面もあるんです。その時は腹を立てても、結果的につき合いが深まったりするのが人間関係の面白さです。

私の知る若い娘さんは、たいへん踊りの才能があるものの、ちょっと困ったところがある方でした。それは、家人が外出して一人残されると屋敷中の鍵という鍵を全てかけてしまい、親が帰ってきても開けようとしないことです。ある時母親が家庭教師を連れてきて紹介しようとしても、頑として開けないこともあった。なぜなのか理由を聞いても、ただ「嫌だから」ですって。

見ようによっては、彼女は強い意思の持ち主ともいえるかもしれませんが、全く現実感を欠いています。私たち人間の生き方というのは、風が吹いたり、埃《ほこり》が吹き込んだり、暑かったり寒かったり、物が散らかったり、不意の客があったり、時には家の中を鼠が駆け廻ったり、あくまでそういう現実空間の中にあるものです。

そうした現実の流入を拒否したいがために、自分の思い通りになる人工的な空間を頑《かたく》なに保とうとすると、現実感覚はどんどん欠けてしまう。つまり完全防音の、もちろん完全空調でもある、スタジオのような一種の死んだ空間に生きることになる。そういう生き方を好む人ばかりふえて行くと、いずれは世の中から哲学も消えてなくなるにちがいありません。

そもそも哲学とはずいぶん生活に即したもので、生活とは現実感覚そのものですから、テレビ、パソコン、携帯電話漬けの生活の中では失われて当然です。二十代の孫の話を聞いていると、パソコンも携帯電話もずいぶん便利な器械であることはわかりますし、少し古いタイプの五十代の息子も、情報は情報、知識は知識と割り切って使っているようですが、私自身は平凡な高齢者らしく全く興味を持つ余裕がありません。

登山の価値は、実際に山に登って辛い思いをすることでしか理解できない。同じように、ニーチェの思想も流行の「超訳」を読んだぐらいでわかるものではありません。知識と体験は全く別物なのであって、体験に知識が供給される時に初めて、思想としての命が吹き込まれる。それなのに、その片方が欠けてしまったら役に立たないように思うんですね。

思想というものは、自分自身の生活と体験によってしかがっちり捕まえることはできませんし、知識だけで人生を渡って行くのは無理な話です。それがわからないと、現実感覚まで狂い始めるでしょう。

今から七十年以上も前、スイスの医師で作家のマックス・ピカートは『神よりの逃走』の中で、こんなことを書いています。

「楽しい音楽の後でニュースに切り替わると実に不幸な出来事が伝えられ、次は経済市況で株価が上がったと言っている。瞬間、瞬間で人間は全く脈絡なく別のことを考えるようになってしまった……」

ピカートが嘆いたのはラジオに関してでしたが、今の状況はもっと深刻です。

半世紀近く前だったと思いますが、私はＮＨＫの放送技術研究所で最新の映像技術を見学しました。幅十メートル、高さ四メートルほど（と記憶しますが）の大スクリーンに、小型飛行機から撮った日本アルプスか何かの山の映像が映し出されていて、私が本当にその飛行機に乗っているみたいでした。下を覗《のぞ》くとお腹がくすぐったくなるように怖い。「ここまでテレビの技術が発達したら、いずれ人間は一日中テレビを見るようになってしまう。酒や麻薬とは違う、ある種の麻薬的生活を営むようになるだろう」とその時思いました。

昔の中国の阿片窟《あへんくつ》では、阿片を吸って日がな一日うつらうつらしている人々がいましたが、一種の現実逃避という意味では、テレビ中毒も同じです。気の向くままにチャンネルを切り替えて画面を見ていたら、あっという間に一日が過ぎてしまう。テレビの視聴時間が伸びる一方で、新たな文化的麻薬中毒が次々に出てきています。

しかし最大の問題は、携帯電話やパソコンを何時間操作したところで、そこからはっきりした目的のあるプロダクティビティ（生産性）はほとんど生まれない、ということです。物知りにはなりますが、知識というものは方向性を持たせて集約しないと、あまり役に立たないでしょう。

人間から能動態（active-voice）がなくなり、あらゆることが受動態（passive-voice）になりつつあります。テレビでチャンネルを選ぶ、ネットで情報を集めることもそれなりにアクティブだという考え方もあるでしょうが、基本的に非常にパッシブな受け身文化にすぎない、と私は感じています。

テレビというのは、見ようとしなくても余計なものまで受け身で見てしまうので、やたらと時間を費やします。テレビ自体が悪だというのではなく、そんな生活に浸っていたら、やがては人生の持ち時間が減ってしまう。健康も精神も害される。画面の向こう側では大勢の人が死んでいても、こちら側ではそれを見ながら平気でラーメンを食べていられる。テレビやネットを見る時は、あっちとこっちは違うのだ、とはっきり意識の壁を作っていますからね。

もちろん人間は、ずっと笑ってばかりも、泣いてばかりもいられません。例えば震災に遭い、家族や友人を失えば食欲もなくなるのは当然ですが、どんなに悲しみに打ちのめされていても、ある瞬間には空腹を感じるものです。食べないと動けなくなる、そう感じると、人間は動物的本能を優先させて食べ始める。そこにはサーモスタットのようにオートマティカルに働く、生の継続への執念があるのがおもしろいですね。

しかし、生への執念の存在さえ感じられないほど餌が補給されるようになると、今度は安心しきってその環境に甘えるようになる。それが大きな問題です。

アフリカではコレラは日常的な病気で、多くの子供がコレラに罹《かか》りますが、治し方は日本よりも上手なぐらいだそうです。日本の病院だったら輸液も抗生物質も翼状針も揃っていて、点滴をしながら安静にしておきますが、アフリカでそんな贅沢な治療は望めません。ですから、嘔吐や下痢の繰り返しで体の外に出るのと同じ分量の水分を入れてやります。つまり二キロぶん下痢したとすれば、二キロの水分と塩を体に入れてやる。

そうすれば脱水症状で死ぬことはなく、薬や医療器具がなくても何とか患者を救うことができます。

そうした原始的な飲用食塩水を作るには、やかんでも鍋でも何か容器に入れた水を煮沸して、そこに救援物資の砂糖と塩を少々加えます。何もない所から作った輸液の代用品というわけですが、それを飲み続けていれば生きられるかもしれない、と習いました。

たとえ猛烈に不味《まず》くても我慢して飲める子は生きられるが、飲めなければ死ぬしかない。乱暴に聞こえるかもしれませんが、安全と水はタダと思っている日本とは「コレラでは死にません」という意味合いがまるで違うのです。

何事につけ「あなた任せ」で生きられる国ではそういう厳しさは失われ、生の本質に対する姿勢の保持の仕方が間違ってきます。

食を通して地面とつながる

黙っていても身の安全と餌が与えられるような世の中では、食に対する感覚もおかしくなります。昔は自分で農作業をしなくても、春は田んぼに水を張り、田植えをした後は草取りなどに手間ひまかけて、秋に稲穂が黄色くなったら刈りとって稲こきをして――、そういう知識を誰もが自然に持っていました。

しかし、農と食とが切り離されてしまうと、優秀な大学を出ているのに、タマネギは木になるのでしょう、と平気で言う人が出てきます。

前にエジプトで考古学の現場を訪ねて、日本食を作ってあげた時でした。私は手ぬき料理を作るのが道楽なので、その時もすぐ「何か作りましょうか」などと余計なことを言ったんです。鶏とタマネギと卵と醤油と、もちろん砂糖もあるというので親子丼を作ることにしたのですが、しばらくすると裏手のほうからけたたましい鶏の鳴き声がする。そうか、鶏は今からしめ殺すのだと思い出して後悔しましたが後の祭りです。どうにか親子丼は作りましたが、鶏は毛をむしるのも、肉を骨からはずすのもひと苦労です。

けれども本来、料理とはそういうものなのでしょう。日本で暮らしていると、鶏肉も野菜もお米も初めからパックに包装され、スーパーの棚に並んでいる。鶏一羽しめたこともなければ、米や野菜がどこでどうやって育つのかも知らないのですから、食べ物が自分の口に入るまでのプロセスが意識されることはありません。

つまり、人間と地面とがまるでつながっていないのです。これは知識だけでどうにかなるような問題ではないし、近年、あらゆる思想が宙に浮いているように感じられるのは、そのせいだと私は思います。

昔、オーストラリアからニュージーランドに入国しようとした時のことです。「ここに来る前にどこに行ってきたか」、「オーストラリアでは牧場には行ったか」としつこく訊かれました。実は常に口蹄疫を警戒していたんでしょうね。「牧場に行きました」と答えると、消毒剤の上を歩かせられ、まだ小さかった息子がお小遣いで買った羊の角を見せると、「子供のおみやげでも絶対に駄目だ。ここで捨てないなら、今すぐ箱に入れて日本に送れ」と言われたんです。牧畜の厳しさを肌で感じたものでした。

動物と同じように植物にも病気があります。どなたでも一度キャベツを苗から一玉だけでいいから無農薬で育ててごらんなさい。朝夕、青虫を見つけるたびに手でつぶしていても、最後は葉がボロボロになってしまうくらい青虫がわいて、ついに諦めました。高地は知りませんが、春になって蝶々が出るようになったら、無農薬でアブラナ科のキャベツなんか作れません。自分で作ってみるとわかりますが、キャベツは葉の外側に虫がつくので、ダインという展着剤入りの殺虫剤をかけて駆除しなくてはなりません。つまり、穴ひとつないキャベツが当り前に手に入るということは、それぐらいの薬剤を使っているということです。

食にかかわるものは、すべて大地とつながっています。その重さは、生活の中で生きた知識として得ることでしか実感することはできないのに、それをしない教育をしていて、平気なんですね。

リッチ化とは貧困化

一九七二年にチリのアンデス山中で飛行機が墜落し、生き残ったラグビーチームの十六人は凄絶な飢えと闘う中で、死んだ人の肉を食べることで命をつなぎました。救出された人たちを迎える会で、息子を亡くした父親は生還者にこう語りかけます。

「私は医師としてこうあることを知っていた。ありがたいことだ、十六人を生かすために、死んだ何人かがいたのだから」

世の中にこれほど立派な言葉があるでしょうか。見ようによっては凄惨なだけの人肉食事件かもしれませんが、クレイ・ブレアJr.の名著『アンデスの聖餐《せいさん》』の中に出てくるこの父親の言葉は、私にとって終生忘れられません。同じ場面で「息子の肉を食った奴の顔など見たくない」と感情をあらわにして怒りをぶつけることもできたはずです。しかし、自分の息子が死んで食べられたのは事実としても、それによって誰かの命を救ったのなら喜ばしいことではないか——この父親の言葉こそ、本当の人間だけが発することのできる言葉だと思うのです。

こうした共感というのは、想像力なくしてはできるものではありません。想像する能力は、動物や類人猿とは違う、人間の頭脳の働きの中でもとりわけ高級なものです。

映像やビジュアルなものが伝えるのはあくまで結果ですが、活字はそこから絶えず推測し想像することで、頭の中で文字を絵に変えていきます。同じように、人ごみの臭気は映像では全く伝わりませんが、活字を通してだったら、自分で想像して、嗅覚を呼び起こすような操作ができます。ビジュアルなものは確かに津波のすさまじさのようなものは伝えますが、本当の恐怖も音も臭いも伝えはしません。

私は海外邦人宣教者活動援助後援会（ＪＯＭＡＳ）というＮＧＯで働いているので、

アフリカやインドなどの貧しい施設や組織から申請を受けて資金を出していますが、単に書類上の手続きだけでなく、実行された後はできる限り現地に足を運ぶようにしています。もとは人様の厚意でいただいたお金ですから、申請通りにきちんと物が作られているか、確認する義務があるからです。

もちろん、わざわざ足を運ばなくても、ネットで送られてくる写真を見ることはできるでしょう。それでも私が愚直なまでに現地に行くのは、写真ではどうしても送れないものがあるからです。

その一つが臭いで、粗末に扱われているものからは臭気がするんです。末期のエイズ患者は出血がひどくて血便の下痢が続き、顔は痩せて、骸骨がやっと皮をかぶっているようになる。アフリカでは貧しいエイズ患者は、親でも恐れて捨ててしまいますから、糞便まみれで放置されます。そういう人たちを収容する病室は、見た目だけなら部屋の中に花や絵を飾ってごまかすことはできても、臭気だけは隠せないものです。私たちは南アフリカのエイズホスピスに病棟を建てましたが、そこに足を運んだのも悪臭が残っていないかチェックするためでした。実際にそれがないことを確認できた時は、ほっと胸をなで下ろしました。

こうした臭いだけではありません。だいぶ前の話ですが、日本財団が暴力団とつながりがあるなどという全く根も葉もない噂が流布されたことがありました。その時、私は日本財団の無給の会長として働いていたのですが、考えて記者たちに財団の内部に入ってもらうことにしました。それまでは、作家としての原稿のやり取りや打ち合わせに財団でお茶一杯なりとも出してもらうのは申し訳ないと思い、私個人の作家の仕事は自宅で、財団では財団の仕事だけ、と厳密に分けるようにしていましたが、疑惑めいた記事が出たことで対策を考えました。

そこで疑念を持った人たちが、実際に自由に財団に出入りして内部の「空気」をかぎ、やくざたちが財団に出入りして裏金をやりとりするような組織かどうか、自分の目で見て感じ取ってもらうことにしたのです。立場上は少々逸脱でしたが、理事長にお願いして、私のところに原稿やゲラを受け取りに来る人は全部財団の中に入ってもらうようにしました。

例えば、お昼どきに来た人には、社員食堂でご飯を食べてもらいました。食堂には関連財団の人や女性職員などさまざまな人が集まりますから、彼らがふだんどういう話をしているのか、職場の空気はどうか、肌で感じ取ることができます。仕事をしている現場をあえて開放し、人の噂や画面では伝わらない「空気」を感じてもらったわけですが、思った以上に効果がありました。真実は、実際の現場ではよく伝わるものです。

昨年来話題になっている電子書籍は、画面で文字を追いながら映像や音声まで楽しめる機能もあって、これを「リッチ化」と称するそうですし、視力に悩む人たちは、大きな活字で読めるので、その恩恵は大きいでしょう。しかし人間はできるだけ活字だけから、内容を頭の中で組み立てる力が要ります。これは大変重要な能力ですから、それをしなくていいことは、私には想像力の貧困化としか思えないのです。

ラジオの野球中継は、試合そのものは目に見えなくても、アナウンスや解説、球場の歓声を通して、場面や選手の呼吸までも想像して楽しむことで成り立ちます。一九八〇年代の半ば、手術によって奇跡的に視力を取り戻した後で、私は盲人の方々をイスラエルへ案内するようになりました。彼らを現地に連れて行って「今、バスに乗りました。運転手さんは太っていて、髪が薄くなっています」みたいなことから始まり、目に映るもの全てを言語で実況中継し、彼ら自身の頭の中で実際の光景を思い描いてもらうのです。

古い話ですが、一九六四年の東京オリンピックでは、観戦記の書き手としてたくさんの作家が駆り出されました。何しろ現場ですぐ原稿を書いて送るので、記者の数が足りなかったんです。私が観たのはバレーボールでしたが、九人制と信じ込んでいて、記者席に座ってから六人制と分かって愕然とした。隣に座った他社の記者の方にお願いして、その場でルールを教えてもらって――大変親切な方でしたから――何とかしのぎましたが、遠藤周作さんなどは、背泳ぎの記事で「号砲一発、ドンと飛び込んだ」とお書きになったそうです。背泳は飛び込まない種目ですから、よく見ていなかったことはすぐバレますよね。「それというのも曽野さんがくれたサンドイッチに噛みついた時にスタートのピストルが鳴ったもんで、肝心のスタートを見のがしたんだ」と私にはおっしゃったんですよ。

けれど、遠藤さんが飛び込んだと思ったのなら、そう書けばいいのです。それこそ遠藤周作さんの真実ですし、もともと小説家のスポーツの知識などその程度のものです。

読者の側も想像力を働かせながら楽しんで読めたら、それでかまわなかったんですけどね。

観察眼を持つ

養老孟司さんは「優秀な官僚は、必ず三ヶ月ぐらい田舎で生活させるべきだ」と現代版参勤交代を唱えているそうですが、私も、やはり人間一度は電気と水道のない所で生活させないと駄目だと思います。

しかし、今やアフリカ辺りまで行かないと、本質的には意味がないかもしれません。優秀な大学を出ているというのに、水は蛇口から出るかペットボトルに入っているものと信じ込んでいて、井戸から汲む水を見たことがない、舗装された道しか走ったことがない、そういう人は大勢います。

ある若手官僚を、南アフリカの貧民居住区「スクワッター・キャンプ」に連れていった時のことです。見渡す限りバラックのトタン屋根の上には、石や壊れた自転車、タイヤなどが重しとして置かれていて、破れたところはブルーシートで覆われている。そういう眼に見える貧しさです。しかし上の方の道からそれを見た彼はそこがショウウィンドウ、つまり観光客向けの見世物だと思ったというのです。そこで今度は実際にキャンプに行って「不真面目な目的ではありませんので」と頼んで内部を見せてもらうと、ようやく彼は「ああ、こういう暮らしは本物だったんですね」と言っていました。

つまりそういうバラックに住む人が現実にいる、ということを、現場で見きわめられない、不思議な秀才がいるんです。子供の時から自分の頭の中に刷り込まれた、日本のレベルの生活だけが現実のものだ、という、どうしようもない硬化した思考に捉われているんです。

インドの不可触民の村に教育関係者を連れていった時も、ありのままのヒンドゥ社会の強固な階級差別の実態を見てくれればいいと思っていたら、報告書に書かれていたのは「インドでは差別もなく、みんな仲良く生活していた」という内容でした。わざわざ差別を見せるために外国へ連れて行ったのに、それが全く通じていない。日本では優秀とされる人たちのそんな有様を見て、いささか気味が悪くなったものです。

「何だろうか」と対象に近づいてみる好奇心、「嘘じゃないのか」、「なぜなのか」と基本から考える観察眼と想像力、それこそが自分なりの思考回路を作りあげるはずなのに、その能力が根本的に欠けているのです。

例えば、目の前に箸とお皿があるとします。日本人には自明であっても、異国人にとってはしばしば意味不明の物体です。けれどわからないからこそ、この平べったい物は何だろう？　この棒は一体何に使うのか？　そうやって自分なりに想像力を働かせる。それは本来、人間に備わっている能力です。

私がよく「東大法学部は駄目」というのは、高度成長期に作られた、有名大学から一流企業に入れば一生安泰、という錯覚がどうしようもなく刷り込まれているからでしょうね。人は学歴だけでは生きて行けない、試験の成績と本質的な生活能力とは違う、それを認めようとしない。いくら偏差値が高くても、頭でっかちで人間にとって根本的な部分を欠いた人間は、社会にとってむしろ害毒となります。

話は変わりますが、先年、私たちが南フランスに行った時、グループの中で、ボランティアとしてよく車椅子を押してくれた青年がいるんです。ある日、雨だったので、車椅子を押す係のオヤブンだった夫がビニール製のカッパを着て玄関へ出て行ったら、彼が「どうして雨だとわかったんですか?」と言うんだそうです。態度の悪い夫は、「外見りゃ、わかるだろ」と答えたらしいです。この青年は自分で見たことを信じないで天気予報を信頼しているんですね。ですけど、そこはフランスですから、誰も天気予報がわからないから、こういう会話になったんでしょう。あるいは母親に「今日は雨が降るから傘を忘れずにね」といつも言われて育ったのかもしれない。

普通の人間は、空の様子を眺めたり、雨のにおいのようなものを感じ取ったりして「どうも降りそうだな。傘を持たずに出かけて少々濡れるのもかまわないが、濡れて慌てて帰る他人を見るのもいいかな」などと考えます。その時、傘一つにも「今日は仕事で遠方に出かけるから、帰りは傘がいるな」とか、「傘を持って行って、愛人の家に忘れてきたら大変だから止めとこう」とか、それぞれに事情があるのが人間らしいのになあ、と言って夫は笑っていました。

もともと情報というものは一定のところで歩止まりがあって、そこから思考していくのが人間のすることです。もっとはっきり言うと、必ず個人によって受け取るものがちがうのが、人間性の存在を示しているんです。

誰だって目の前で殺人を見る機会などまずないのですから、悪にせよ、善にせよ、想像力を働かせるのが人間としての基本的な作業です。一つの事柄から想像して発想することが、その人なりの持ち味や個性であるはずなのに、そのイマジネーションが根こそぎ奪われている時代です。

想像力が加速度的に衰えていることは、テレビの天気予報一つでもはっきりしています。アナウンサーがいい年をした私たち視聴者に「傘を持って行くことをお薦め」したり、「洗濯日和です」とおせっかいを焼いたりするのは日本ぐらいのもので、よその国では素っ気ないぐらいに気象情報を伝えるだけでしょう。ましてや雨が降ると言うと、傘の印を持ってみせたり、まるで幼稚園児相手で、私は時々思わずテレビを切ってしまう。これも大人気ないんですけどね。

昔、子供はお正月なんかに「ジェスチャー」といって、動物の仕草なんかをして当てっこをするゲームをやりましたが、近頃はいい大人まで身ぶりをいれないと不安になるのかもしれません。しかし、女性アナウンサーがウサギの帽子を被ってみせたり、「ゆるキャラ」と呼ばれる着ぐるみが全国的なブームになったりするのは、どうにも理解できないのです。幼児化というか、羞恥心というものがないのか、見ていて居心地が悪い。これも言葉だけで情報を伝達するという技術がなくなって来たからでしょう。

いずれにしても、こうした日本特有の現象は、想像力が欠如した人向きではあっても、人間性に対する一種の侮辱であると同時に、日本人がそういう教育を受けてきたという結果でもあるのです。「どうしてわかるの？」「外見りゃ、わかる」という会話は馬鹿らしいどころか、非常に深刻なことだと思います。

自分なりの知恵を働かせる

私の母もそうでしたが、昔の人が爪に火を灯《とも》すようにして貯金をしていたのは、当時は年金も医療保険も介護のシステムも生活保護もなく、国家が個人を救済するような制度がなかったからです。夫も旧制中学で財産の三分割、つまり不動産としての家、動産としての預貯金や株、それから書画、骨董、宝石の類に分けて持つようにと教えられたそうですが、いずれにせよ自分なりに知恵を働かせて、どうにかこうにか生きていきなさい、という意味でした。

この世では、お金がなければないなりのやり方というものがあります。お惣菜にしてもタラコ一切れを小さく二切れに分けるとか、濃い味付けの煮物を添えてご飯がたくさん食べられるように工夫するとか、貧しいなりの食事の整え方というものがあります。おそらくネットを見れば膨大な情報や知識があふれていて、安売り情報や節約術にも事欠かないのでしょうが、人間が自分で生きて行くための知恵を出すのがいいことだという空気はあまりないんですね。

生活保護の受給者の中には、体はいたって健康なのに、お金を受けとったその足でタクシーに乗って競輪場へ行くような人がいます。働きたいのに働けない、というやむを得ない事情を持つ人と、単なる怠惰な人とを同じように保護する必要などないと私は思っていますけど。ましてや賭け事などしたら即座に打ち切ってかまわないと思います。

以前から繰り返し言っているように、「貧乏とはその晩に食べる物がないこと」ですから、どうにか食べている、という人は本当の貧乏ではないのです。

子供手当にせよ児童手当にせよ、ギリギリまで支給額を下げて、どうしても我が子に食べさせられない親にかぎって支給したらいいですね。聞くところでは、東京都では江戸川区の手当が一番良くて、月三万円の保育代のうち二万六千円を区が出してくれるそうですが、それを聞いて私の家で働いているブラジル人はびっくりしていました。「子供一人預けて、たった四千円しか親は出さなくていいんですか？　子供を持ったらお金はもらうのではなく、出て行くのが当り前です。そんなことしたら、ブラジル人は毎年違う父親の子を生みますよ」

ブラジルの人から見ると「なんと、何でもしてくれる国なのか」というわけです。

私はもう四十年以上経った木造の家に住んでいるものですから、始終どこかが壊れているのですが、公団住宅だったら家賃が安い上に、補修もすべてしてもらえるそうです。少くとも、まともに生活できている人たちからお金を取らずに、さらにお金を与えるのは過度の福祉という気がしますね。

かつては天災があると、まず親戚の家へ転がり込んだものです。親戚だからといっていつまでも居られるわけではありませんが、行政が用意する体育館の避難所よりは、親戚の方がいくらかましなはずです。期限付きの被災者が転がり込んできた間ぐらい、子供たちは一部屋で雑魚寝《ざこね》させ、おかずの塩鮭一切れを半切れにして、質素に分け合えば食べてはいける。そうやって一週間でも一ヶ月でも置いてあげるのが当り前でした。それなのに、今度の東日本大震災でも、親戚を泊めたという人は、私の周囲にはありましたが、本当に少くなりましたね。

天災に遭うのは本当に気の毒なことですが、さほどの大災害でもない場合でも、最初から一箇所にまとめられて行政の配給を待っているのが当り前の光景を見ると、日本人はそういう助け合う心を失ったのかと心配になります。

どんな状況でも誰かの支援を待つばかりでなく、自分で考え、自分から動くことも大切です。火山灰がひどくても屋根さえあれば、七輪とお釜に塩鮭と昆布の切れ端、お酒とだしの素を入れるだけで即席の釜飯がつくれます。お鍋も要らないんです。私は海外に行った時もよくそうしていますが、別に料理自慢をしたいのではありません。小さなことでも、一つ一つ自分で工夫して状況を乗り越えるというのは、おもしろいことなんです。そういう能力が、近頃の人は、全体的に衰えてきているように感じるのです。

アフリカに行くと大抵の人が水の心配をしますが、現在はド田舎ならともかく、ちょっとした村だったら水は売られていますから、お金のある日本人は好きなだけ買いこめます。しかし若い日本人に「水を売ってなかったら、あなたならどうしますか」と聞くと、答えられない人が多くなりました。

人間が住んでいる場所である限り、水と何らかの燃料はあります。ですから「薪を燃やして、お湯を沸かしたらどうですか」と言うと、「煮沸すると飲めるのですか？」と初めて聞いたような顔をされる。優秀な大学の卒業生がそうです。「では、泥水だったらどうするか知っていますか」と聞くと、また答えられないのです。その場合は、しばらく沈殿させてから泥の少い上澄みを取り、附近の住民の女性の腰巻を一枚借りて濾《こ》すだけでかなり濾過《ろか》できます。

当然ながら、それらを使わせてもらう時には対価を払います。そんな時でも「それって、賄賂になるのでは」とおかしな理屈をこねる官僚的な人もいて驚いたことがあります。「地獄の沙汰も金次第」と言う通り、生きて行く上でお金は正しい解決法の一つなのです。

どんな状況でも自分の頭で考え、想像し、工夫して生きることが人間の基本だと私はずっと思って来ました。

第二章　「乗り越える力」をつける教育

教育は強制にはじまる

私が時々見る衛星放送で、「ザ・カリスマ　ドッグトレーナー」という番組があります。ホスト役の男性によると、生まれ育ったメキシコの牧場では一人の牧童が何頭もの犬を自在に動かしているのに、アメリカでは間違った飼い方をして犬が手に負えない例が実に多いのだそうです。

例えば、犬を連れて戸口に立った時は「シッ」と制止してから、人間が先に出るようにします。そこで犬を先に行かせると、犬は飼い主への従属ということがわからないままになってしまう。野犬でない限り、人に餌をもらわないと生きられない犬にとっては過去も未来もなく、あるのは現在だけです。機会あるごとにこちらが飼い主なのだということを確認させ、人間関係ならぬ人犬関係をはっきりさせないから問題が出てくる。大切なのは、人間と犬との位置を常にはっきりさせた上でかわいがることだといいます。

私は今、犬も猫も飼っていないのですが、番組を見ていて感じたのは、人間の子供も犬も躾《しつけ》は同じなんだな、ということでした。

とりわけ幼児には「大人に従い、教えられるという位置」をきっちり確認させなくてはいけません。犬の飼い主が「シッ」とやって教えるように、幼児にも、初めは家の中でも外でもしてはいけないことをはっきりと教える。可愛がるのはいいんですが、ベタベタの猫かわいがりは絶対にだめということです。

戦後、日教組が「人間はみな平等」というおかしな平等意識を作り上げましたが、先生と生徒は決して平等ではありません。中にはおかしな先生がいるとしても、知識において先生は子供より絶対的に卓越した存在ですから、平等ではあり得ない。それと同じように、子供は小さい時は親に庇護される者であり、いつかは追い越して親の方が庇護される日が来るとしても、絶対に平等ではないのです。

平等でないのは少しも悲しむべきことではなくて、やがて柔軟で豊かで個性的な人間関係に変わり得るものだということがわからないから、そういうおかしな論理になるんですね。

私の息子が小学生の頃ですからずいぶん昔の話ですが、すでに母親たちが先生を友達扱いするようになっていて、担任の教師を「○○君」などと呼んでいました。私が家の中でも必ず「○○先生」と呼んでいたのは、表だけでなく、裏でも先生の優位をきちんと子供に示さなくてはいけないと思っていたからです。それなのに、まず親たちが平気で先生を平等視し始め、今ではすっかり立場が逆転してしまっているようです。

最近は、親が敬語をきちんとしつけることができなくなりました。親自身が、何でもかんでも「してあげる」に慣れっこで、謙譲語も尊敬語もでたらめになっている。親が子供に何かをする時には、「してやる」と言わねばなりません。犬にお菓子をあげるというのはまちがいで、犬にはお菓子を「やる」のです。いちいち目くじら立てなくてもいいのかもしれませんが、子供に話し方を教えられない、ひいては言語生活がめちゃめちゃになるのは、位置関係が乱れてしまっているということなのです。

私が幼稚園から大学まで通った聖心女子学院は、極端なぐらいに礼儀に、それも日本の儒教的礼儀に厳格なところでした。教室で沈黙、廊下でも沈黙、トイレでは絶対に沈黙でした。トイレに行くと、大きなエプロンをかけた魔法使いみたいな格好の外国人シスターが隅っこのスツールに座っていて、子供たちが、少しでも声を出すとすぐさま「シッ」と唇に手をあてる。つまり、トイレは用を足す場所であってだらしなくお喋りをする所ではない、ということです。それから、立った後で便器が汚れていたり、洗面器の中に髪の毛が落ちていたりすれば、必ず「きれいにしてから帰りなさい」と言われたものです。

昔はどこの学校でも、黒板の横に「静粛に」と大書された紙が貼ってあって、授業中の私語などほとんどありませんでした。静粛に、清潔に、それ以外にも、どの場所にも、そこで行う行動の目的があってそれに沿った行動をするよう、厳しく教え込まれたからです。人間が歩く駅の通路にぺたんと座り込んだり、電車の中でお化粧したりするのは、ルール違反なんですね。

教師が叱っても着席しない、授業参観では子供たちばかりか親たちがお喋りを止めない、神に祈る場所であるはずの教会でもミサの直前まで始終ざわついている、女性が電車の中で平気で化粧をする――こうした状況は、強制をしないか、あるいは避けようとするような教育風土が、戦後ずっと続いてきたからでしょう。

十年ほど前、私が教育改革国民会議の委員をつとめた時でした。私も提言者の一人でしたが、他の委員の方々のようにアイデアがたくさんはなくて、ただ一つ提案したのが「一年間の国民総動員奉仕活動」でした。

簡単に言うと、高校を卒業する齢の十八歳になったら全員を奉仕活動に従事させることです。動員とは言いますが、できるだけ個性は活かす。園芸に興味があれば園芸を手伝わせる、お年寄りの面倒を見たいなら施設に派遣する、何でもいいからできるだけ本人が望むような奉仕活動をさせる。その目的は、若者に「他に与える」生活を経験させることでした。

聖書は「受けるよりも与える方が幸いである」と教えますが、私はそれを少し変えて「受けて与えるのは幸いである」、「人間は多く受けて多く他に与えることができたら、たいへん光栄だ」と考えています。

若者から携帯電話を取り上げて、決めた番組以外は原則としてテレビはなし、皆で同じ物を食べる共同生活を強制的に一年間させる。軍隊で兵器の扱いを教える徴兵とは性質も目的も全く違います。軍隊に関心があって色々覚えたい人がいたら自衛隊に預けてもいいでしょうが、あくまで徴兵ではありません。

ある程度の反対は予期していましたが、私の提案は猛烈な批判を浴びました。教育は自発的であるべきで、絶対に強制すべきではない、という反対の大合唱でした。

しかし、教育が自発的であるべきだというのは異常な感覚で、教育はごく初期の幼児期のものと、いくつになっても初めてやることに関しては全部強制の形を取ります。もし私がこれから三味線を習うとしても、最初は持ち方から弾き方まですべて強制で、それは気に食わないから私流に弾きたい、というのは大間違いです。

けれども話はまるで通じませんでした。とにかく「強制はいけない」の一点張りですから。私はすぐに引っ込めました。

若者の命が大事であること、さまざまな可能性を秘めていることは言うまでもありません。だからこそ大人は、いずれは自分よりよっぽど大物になるかもしれないという畏れを持ちながら、いとおしんでその才能を育てればいいのです。ただし、若者には若者の立場があるから強制はいけない、という考え方では脆弱《ぜいじゃく》な人間しか育ちません。

他人は自分を理解しない

私が教育改革国民会議で提案した一年間の奉仕活動はこてんぱんに叩かれただけに終りました。しかし、例えば石原慎太郎さんが主張しているように、若者に徴兵制を実施すれば、状況は簡単に変わると思います。

ドイツ在住の作家・クライン孝子さんに聞いた話では、彼女の息子さんは徴兵で（今はドイツは徴兵制度をやめにしたそうですが）奉仕活動を選んで勤めてから、すっかり変わったといいます。半分日本人の血が入っているせいなのか、以前は少しためらいがちだったのに、徴兵を機に自分から老人や障害者を見ると「何かすることはありませんか」と声をかけて近づいて行くようになったそうです。

お隣の韓国が経済、スポーツなどあらゆる分野で急伸しているのは、若者に徴兵制があり、常に北朝鮮との関係で危機感があることと無関係ではないでしょうね。

アフリカや中近東、草原の遊牧民にとってナイフは人を刺すためではなく、布を裂いたり、薪《まき》になる木を作ったり、食料の肉をさばいたり、生きるための必需品です。私はアフリカに日本の若者を連れて行くたびに、「男は常にナイフを持っているのが普通ですから、地上の旅が始まったら必ず腰につけて下さい」と教えますが、日本の若者たちは軍用ナイフを、その時のために買わなくてはならないんです。砂漠の人たちが聞いたら、びっくりするでしょうね。ナイフを持たない男がいるのか、ということですから。

日本は、ナイフは喧嘩すると人を刺すから持ってはいけません、と教える社会です。小学生にナイフで鉛筆を削らせなくなり、校内で殺傷事件が起きてからますます厳しくなっている。けれど本当に誰かを殺そうと思ったら、突き落とすでも首を絞めるでも、ナイフなしでも殺せることでしょう。ナイフ一つ持たせられないのは、人間としての能力開発の欠如です。

私が考える教育とは、多少なりとも悪い情況を与えて、それを乗り越えて行く能力をつけさせることですが、今は良い状況を与えるのが教育とされています。

一クラスの人数が三十人以下でないといけないというのも、全く本質から外れた議論で、もちろん小人数の方が眼が届いて、教室もゆったりしていいに決まっていますが、昔は四十人とか五十人学級も珍しくなくて、席に行くのにもカニみたいに横歩きをしてやっと自分の席に着いたものです。それが生活というものでした。教師も男の子に対しては、立たせたり、頬をひっぱたいたり、それでも生徒は後々まで先生が好きだったものです。

　クラス全員の事情を知るという状況は、裏を返せば、他人が自分を理解して認めてくれるのを当然のこととして期待することです。しかし、先生が一人一人の生徒に向き合ってくれる、遅れ気味なら補習をしてでも教えてくれる、という考えは「甘ったれ」といってもいいでしょうね。人間は他者のことなど、そんなに理解するものではないんです。

　そもそも人間は「他人は自分を理解してくれない」という覚悟の上に、長い人生を立てて行かなくてはならないのです。

　先生に「お前は英語ができるな」とか「今回は国語がよかったな」などといわれて、「ああ、少しは認めてもらえるんだ」と感じたとします。確かに頑張れば、運がよければ、一部は認められることもあるが、絶対にわかってもらえない部分もある。そこでは過小評価も過大評価もあるとして、その両方の配分で人生を見ることを学ぶのです。それが大切であって、全面的に私を認めてほしい、認められて当然だ、というのは大きな勘違いです。

悪い状況、もっと言えば修羅場を経験する意味というのは、肉体や筋肉と同じように精神に負荷をかけることにもあるでしょう。そうでないと、人間として使いものになる強靭さが備わらないからです。それは政治の世界でも同じで、田中角栄がすばらしかったとはいいませんが、数々の修羅場と権力闘争をくぐり抜けてきた人と、単に成績優秀で政策に通じた人とでは、危機における能力が全く違ってきて当然だからです。

危機というのは、人間的なものもあれば物理的なものもあって本当にさまざまです。いずれにせよ何をどうやって乗り越え、あるいは回避して行くのか、感覚的につかむ必要があるのです。

素朴な喩《たと》えとして、ある日突然、戦争のような物理的危機に置かれたらどうするか。穴を掘って隠れる、地下壕へ逃げる、あるいは一目散に難民として脱出を図る、いろいろな行動が考えられますが、非常時には、市民の中にも暴行や略奪が当然に起こり得ることは世界的常識です。

その一方では、人を助けようと懸命になることもあります。一九九五年の阪神淡路大震災でも、二〇一一年の東日本大震災でも略奪は起こらず、むしろ互いに助け合う光景が見られたのは、日本人として本当に誇れるものです。しかし、略奪なんて思いもよらない、あり得ないとはなから考える人が増えてきているとしたら、過保護ゆえの危機管理能力の欠如ということになります。

誰だって戦争は嫌に決まっています。徴兵制は擬似戦争であり、擬似と言うと戦争の真似事とか戦意高揚のためとか悪い意味にとる人もいるでしょうが、そうではない。もしも戦争になったら自分にはどれぐらいのことが必要とされるのか、あらかじめ知っておくのは決して悪いことではありません。

もともと人間は弱いものですから、突然追い詰められると途端に略奪したり、人を殺したり、火を放ったり、そういう例は過去にいくらでもあります。そうならないためにどうするか、その予備行動なり予備的判断の経験があれば、危機にあっても自分の行動を少しはおさえられるでしょう。教育の場にあっては希望を持て、ということがしきりに言われますが、希望を持つと同時に、私は人間の弱さ、悪の面の勉強もした方がいい、とずっと思っています。

義務を果たしてこそ自由

一九五〇年代、無着成恭《むちゃくせいきょう》さんの『山びこ学校』がベストセラーになり、映画化されるなど大変な人気を博しました。無着さんはある時、こんな意味のことを言われたんです。「いやぁ、子供って、すばらしいもんだ。先生、ドアから出入りするとは知ってたけど、窓からも出入りできるんだね、って言うんですよ」。つまり、子供たちの思うままの行動に大人の自分が教えられたというのです。

しかし、出入り口と窓とでは約束事が全く違います。出入り口の機能はその外側に一応安全に通行できる平面があることですが、窓にはそれがないので、そのまま下に落っこちることだってある。日本では車は左側通行でアメリカでは右側通行、海上で船は右側通行と決まっていて、そこで子供みたいに自分は逆から行ってもいいだろう、ということになったら、たちまち事故を起こして社会に迷惑を及ぼします。

表面上は世間の便宜的ルールに従うとしても、心の中の哲学的な深い部分で反逆するなら、それはそれでなかなか味のあるいい生き方です。しかし、世の中の約束事を教えないままに子供のやり方を何でも認めるとなるともう滅茶苦茶です。勝手気ままな行動をする前に、窓から落ちたら死ぬよ、と言って笑い合えたらそれこそが教育なのであって、何でも自由に思った通りをもてはやすのは間違っている。その子の将来にも悪い影響を与えます。

聞いた話では、徳岡孝夫さんがフルブライト留学生としてアメリカに行った時、最初に聞いた講義が「自由について」で、期待して行ったら最初のテーマは「自由の制限」だったそうです。要するに、満員の映画館の中でわめく自由は誰にもないという話で、彼は目からうろこが落ちたというのです。

私が初めて自動車の免許を取ったのは三十歳の時でした。今から考えるとよく取れたものだと思いますが、渡米して運転する必要があったのでアメリカで免許を取りました。当時はそれほど英語もできませんでしたから、アメリカで免許を取る方法がわからずに困っていると、警察庁の知人がワシントン州の交通規則の教本を取り寄せてくれました。せいぜいこれでも読んで頑張ってみたら、というわけですが、その教本の冒頭にはこんな意味のことが書かれていました。

「古来、人間はどこへでも自由な方法で移動する権利があった。自由な道を通って、自由に選んだ方法で行くという選択が可能だった。しかし、このように都市交通が発達してくると、それができなくなった。ゆえに規則に従ってもらいたい」

昔は馬に乗って野越え山越え最短距離を選べばよかったけれど、現代では道と名のつく通路を通らねばならない。公共の安全のために「自由の制限」をする、という宣言です。大勢の人が暮らす中では、譲り合い、制限し合うのは当然で、それは何も相対性理論を理解せよというようなむずかしいことではないですからね。

日本国憲法を作ったニューディーラーたちが、権利を主張して義務を強調しなかったのはいささか不思議です。戦後これほどアメリカ式を受け入れ、生活から何からアメリカナイズされたというのに「自由の制限」という概念はほとんど入って来なかった。日本人の自由の概念は、見る人によってはかなり奇異に映るようです。

インドのヴァナラシに、古くから知り合いのインド人神父をお誘いした時でした。修道者ですから貧しく暮しておられるし、私が飛行機代も出しますから、と言ってヴァナラシの私の知人がかつて泊ったことのある河畔の安いゲストハウスを訪ねることになりました。確か一泊百円ぐらいで、男女十数人が入る鰻の寝床みたいな部屋には着替えをするための衝立《ついたて》もないんです。昼も夜も誰かが寝ているので沈黙の規則があり静かな所でした。

その時、たまたま一人の気さくな日本人女性がいて、インドへ来るまでの話をしてくれました。彼女が何ヶ月も前から滞在していると言うので「お金は親御さんから？」と尋ねると、「いえ、ちゃんと働いて自分でお金を貯めました。飛行機も一番安いチケットを買い、いられるだけいるつもりです」といいます。

ヴァナラシでは一日、死体を燃やして河に流すガート（川に降りるための階段）を見ている。食費は一日分二、三百円、チェーンスモーカーの彼女でも一日五百円あれば十分でしょうから、せいぜい月に一万五千円程度。幾ら貯《た》めて来たかは聞きませんでしたが、二十万円あれば一年ぐらいはいられるんでしょうね。

そこを出てから、神父さまに彼女の印象を聞くと「私はあの女性が、決して自由だと思わない」と言うのです。

「そんなことないでしょう？　あの女性は自分の意思でここに来て、金銭的にも親から自立しているじゃないですか」

「いや、自由というものは義務を果たしていてこそ自由なのだから。彼女は何も義務を果たしていない」

さらりと言いました。すでに子供ではない成人が、自分で働いて貯めたお金で望む土地にやって来たのは、個人の自由だという理屈はあります。しかし、この世のさまざまなしがらみの中で自分が生きている意味を考えると、何もせず日々を過ごしているのは、決して本ものの自由な人間ではない、と言うのです。

それは日本人にない視点でした。人間の自由には常に制限や義務が伴う。そうでなければ、この世、というか、地球上の生活は現実として成り立って行かないんでしょうね。その基本をきちんと教えることが大切です。

大宅壮一の実験

かつて大宅壮一さんは、こんな実験をしたことがあるそうです。朝、孫に新聞を自分の所に持って来させて「ありがとう、と言いなさい」と教えると、初めのうち孫はその通りにした。かわいいですね。しかしだんだんと孫の方が変だと思い始める。この場合は、おじいちゃんの方が礼を言うべきじゃないのかな……。そうやって、一つ一つの人間関係をはっきりさせていくという方法です。

人間は、どんな教えられ方をしたとしても、それに対して反発する強力な免疫力を生まれながらに備えているものです。ですから教育問題の本質は、教科書の内容が軍国主義批判や左翼的自虐史観に影響されているということよりも、子供の中にある免疫力・判断力を充分に刺激してしっかり育てられるかどうか、他人の考えや言うことに従順なだけの人間にはならないよう、「ほんとかな」と何事も自分で反芻《はんすう》し、考えていける人間に育てられるかどうかなのです。

文部科学省や学校の先生、親だからといって頭から信用してはいけない。本当は誰も全面的に信用などできなくても、裏を返せばそのすべてが教育材料になります。だから反面教師もやはり先生なんです。何の問題もなく、よくよく整備された教育環境だけがいいのではない。世間的には教育上悪いといわれるような、やくざの組織や色街が身近にある暮らしの中で大きくなることも、うまく生かせば大した教材になるのです。私は風紀の良くない環境で育つことが子供にとって気の毒だとは思わないし、逆にそこから立派な人間が飛び出してきても驚きはしません。

「覚えたる罪」と「覚えざる罪」

物事には両面性があり、一面だけを見て否定したり、教育したりするのは大きな誤りです。戦後の日本では、軍事学などふれてはいけないもののように扱われて来ましたから、いまだに満足な戦争博物館一つありません。ロンドンの帝国戦争博物館には第一次大戦と第二次大戦をはじめ、ナチスもイギリスの軍隊も隔《へだ》てなく展示してあり、「あなた自身の頭で考えるように」というレリーフが掲げられていると聞きました。

つまり、戦争というものに人間に共通の悲しみを見出しているのです。相手がなければ起こらない戦争は、敵と味方に分かれて殺し合った人間の悲劇そのものです。歴史もそうですね。過去を洗えば、どの民族にも無知と残虐の歴史があります。なぜ戦争が繰り返されるのかは自分たち各々が考える性質のもので、多分、どちらかだけが悪かったというものではない。どちらにも、責任はあるんです。他人から、あの戦争はこういうものだった、と押し付けられるものではない。日本の教育は、この「あなた自身の頭で考える」という部分が抜け落ちてしまっているようです。

現代の教育はそうした人間の基本には関与しない、全く表層的なものになっています。もちろん平和がいいことは誰でも知っていますが、平和の裏側にある戦争を知らなければ、いざという時に回避することもできません。戦争を知らなければ平和について語れない、というのは非常に重要なことです。

戦争が良くないことは誰でもわかりますが、敵と味方に分かれて人間が作った道具でお互いに殺しあうものですから、観念ではなく、実物を見て考えることも大切です。私自身、戦争をテーマにした作品の中で「中戦車」などと当り前のように書いていましたが、どうも現物のイメージがつかめず、陸上自衛隊の武器学校で現物を見学させてもらったことがあります。戦車というからには頑丈で大きなものを想像していたのですが、中戦車は昔のフォルクスワーゲンくらいの、物悲しいほど小さなものでした。

世の中には色々な人がいますから、もし犯罪博物館を作ったらどうなるか、と考える人もいる筈ですね。そこで人殺しの方法を知った、という子供ももちろんいると思いますけど、犯罪心理学が大切だと悟る青年もいるだろうし、防犯設備の会社を作ろう、と思いつく人もいるでしょう。それとは全く関係なく、その博物館でアイスクリームやアンミツを売ったら儲かるだろう、とお金の計算から入るという人もいます。一方では、子供にそんな残酷な展示を見せてはいけない、という立場から反対する人もいると思います。

しかし結局のところ、考えるのは自分たち一人一人でしかありません。本当の考える力とはそういうものなのに、戦後の義務教育は子供たちに自分で考える力を教えてこなかった。他人と違うことを考えると試験や出世で減点されることが、さらに拍車をかけました。東大法学部出のお役人の生き方なんて、まさにこの典型ですね。

それを象徴するのが、広島の原爆死没者慰霊碑に刻まれた「過ちは繰返しませぬから」という、誰が主語なのかわからない文言です。自虐的で画一的な戦後の歴史教育は、戦前に比べてもずっと深刻だと思います。

ギリシャ語では「過《あやま》ち」を「罪」と「咎《とが》」の二つに分けています。聖書でもハマルティアとパラプトーマ、それぞれが違う意味で使われていて、ハマルティアはどちらかと言うと私たちが時々やってしまう、つまり過ちと言うべきもので、パラプトーマというのは意識して行うものと言うべきなのかもしれません。キリスト教では教会の告解で「覚えたる罪と覚えざる罪」とを許して下さい、と唱えますが、ほんとうは子供の時から二つを区別して教えるべきなんです。

アメリカでは、明確に殺してやろうと計画した場合と、かっとなって衝動的に殺してしまった場合と、罪の重さが、等級別に判断されるようですね。ライオンには獲物を襲う時に罪咎の意識はありませんが、人間がその区別を意識することは動物との明らかな違いであり、人間を育てる上でとても大切なことなのです。

第三章　ルールより人としての常識

規範を破る時には覚悟が要る

戦前、私は母から「借金をして物を買ってはいけない」と教えられました。「欲しい物があったら、お金を貯めて買いなさい」というのが大原則で、「泥棒したらもう人間ではないから、学問などしなくてもよろしい」とも言われたものです。古い言い方ですが、「人間としての基本ができていない人は何をやる資格もない」ということだったんでしょう。

今は物を手に入れようとする時、ローンを組むのが当り前になっていますけれど、長期のローンで買うと倍近いお金を払うことになるそうですね。ローンと言うと聞こえがいいですけれど、つまり借金です。しない方がいいに決まっています。

規範に対して若い人たちが「そんなものが何よ」という抵抗や反抗はいつの時代もありますが、それでも規範を破る時には昔は覚悟を決めてやったものです。その覚悟というのは大層なものではないかもしれませんが、何事によらず自分自身がはっきりと意識して「悪」を犯したという意識を持つことでしょうね。たとえそれが絶対的な悪でなくても、少くとも既成概念に逆らう時には、応分の覚悟もしましたし、対価を払わされたものです。

一家の一員として守らなければならない規範が、かつては厳然としてありました。近年、珍しくもなくなった援助交際などは「一家の恥」、それほどの許しがたい行為だったんです。でも最近は、世間に事実を隠すことができさえすれば、娘にそんな事実が発覚しても、親は大して傷つかないんじゃないでしょうか。

今は対価など払わなくても何でもできるかのような錯覚がある時代です。何をしようが個人の自由でしょう、という独善的な考え方です。

殺すなかれ、盗むなかれ、姦淫するなかれ――で有名な「モーセの十戒」は、人間にとって今でも基本的な戒律であることに驚かされますね。人間には、教えこまれると反発する精神が常にありますが、鵜呑《うの》みにするのは嫌だから避けて通ろうとするのではなく、真っ向からそれにぶち当たること、その反動を自分の身をもって確認すればいいのです。

私自身、二十代の初めの頃までは、未婚の母もいいな、と思っていました。まだそんな言葉さえない頃でしたが、自分の両親の仲が悪かったせいか、子育てそのものは楽しそうだし、なまじ夫などいなくても子供がいればいい、父親がどこの誰か世間に言う必要もない、それが自由な女の生き方ではないか、そんなふうに考えていました。

最近は、英語の書類にも「husband」「wife」ではなく、ほとんどが「partner」と書いてあります。法律的に結婚すればハズバンドとワイフというのはアメリカではすでに古い考えのようで、届出の有る無しに関わらず、パートナーと呼ぶのが当り前だといいます。

時代の移り変わりとともに、男女の垣根がなくなりつつあるという意味では、それは歓迎すべきことかもしれません。けれど普通の異性間結婚も同性愛結婚も、全く同じように扱わなくてはならない、というのはやはり変でしょう。

何であれ本人がいいなら構わないし、自分が同性愛者なら敢然と同性愛を全《まっと》うすればいいんです。世の中の価値通念に追従せずに自分の信念を貫いて生きるなら、それなりの対価を払って敢然とすればいい。ただ、異性同士と同じように結婚式を挙げて、法律上も配偶者としての権利を求めるなどというのはおかしいんです。自分の美学は、人にもわかられず、法律が認めなくても一向に構わないんですよ。

人間も世の中も中心となる軸、芯がしっかりしていないと、そこから外れているという意識もなくなっていきます。その意味では、絶対多数にはそれなりの価値があるのです。例えば、なぜ男性は皆ネクタイを締めるのか。首の周りに細長い布を巻きつけるのは、見ようによってはおかしなことかもしれません。しかし、それは人として世の中に対する妥協なのです。

ネクタイを締めていることで、自分はその人に対して慎ましい気持ちでいる、相手と会うのが不愉快だとか攻撃的な気持ちではなく、きちんと応待しようという気持ちでいることを伝えられる。会う人全員の心の中を確かめられないからこそ、男性はネクタイを締め、女性もきちんとした服装をした方が人当りが優しいんですよ。

中国人社会では、葬式では暖色系を避けて灰色や鉄色など寒色系を身にまといます。どこの国でも、葬式で赤い服を着てはいけないという法律こそないようですが、亡くなった人を悼む気持ちを表すために黒い服を着る。社会的な慣習には、それなりの意味があるのです。そこで多数に従うのは自分の個性を失うことではなく、他の存在を認めるということです。

本来「個性」は悪い言葉ではありませんが、私は個性的でしょう、と表面的にアピールするのはただの勘違いであって、単に他人のことを考えられない、自分中心で他者が希薄ということです。自分はこう考えるのだから構わないでしょう、という姿勢は何かを履き違えていて、逆に言うと、自分が他者をそれほど簡単にわかるわけがない、と自覚することが必要です。

ですから一度会って挨拶をしたぐらいで「あの人、知っています」とはいえないし、「まだ日が浅いので、よくは知りませんが」と言うのが、人として自然な態度だと思います。人間はもっと長い時間をかけて、人生のさまざまなことを話すようになって初めて「知っています」といえるわけで、私が他の作家の方々に関して、ほとんど書かない理由もそこにあります。

ほんとうによく知りもしない人から私生活を憶測されて、迷惑している人は多いんです。ことに自伝ではなくて、他人の書く伝記小説なんて実にいけませんね。他人の人生に対する冒瀆《ぼうとく》じゃないかな、と思うこともあります。

国立劇場に歌舞伎を観に行った時でした。「忠臣蔵」の浅野内匠頭《たくみのかみ》（塩冶《えんや》判官）が切腹する場面で、普通なら奥の突き当りにある「揚幕《あげまく》」はピュッと上がります。でも江戸の昔から、その場面に入るとさすがに人が切腹する場面ですから、酒もつまみも一切運ばれず、幕の音も立ててはいけないというので、揚幕もその時だけ引き戸に変えたのだそうです。今もそれを踏襲しているんですね。私はあんまり皆がシンとしているのが嫌になって、こっそり飴を口に入れたりしましたけど。何と言ったってお芝居ですし、一つの事柄の意味には深く納得しつつも、自分の性格として引き受けて、あえてそれに逆らってみたくなる。幼稚な心情ですね。

世の中の常識というものは、自分があるからこそ認められるのです。自分と常識とが違っていることを十分に分かっているからそれに従える。大勢の人が言うことだから価値があって正しいと考えるのは間違っています。この二つは似ているようで全く違っていて、自分自身に錘《おもり》がついていないと、水面を流される浮草と同じになってしまいます。

政治から世間一般の風潮まで、何事によらず皆が同じことを言っているという感じが最近は強い。もちろん、ネクタイについて賛否の多数決をとったことなどないでしょうが、皆さんがそうしているなら、積極的な悪でない限り、従えばいいのです。

その一方では「あの人と私の間柄なら、ネクタイみたいな形式的なものは外してしまおう」という関係に発展して行くこともあるし、ないかもしれない。言うなれば「いいかげんの哲学」です。いいかげん、とはデタラメという意味ではなく、自分も他者も認めることです。図式的に聞こえるかもしれませんが、それでこそ人間発見の楽しさがあると思うのです。

「個」とは自分の頭で考えること

人間は、基本の「基」にぶつかった時に、あるエネルギーというか、覚悟ができます。そこでは挫折や摩擦や葛藤がつきものですが、それがないと得られる対価もなく、ひたすら周りと同じように考える人間になってしまいます。

学校秀才といわれる人の多くは挫折や摩擦をあまり経験しないまま生きてきて、官僚や大手マスコミの幹部になっていきます。だから児童養護施設などに匿名で贈り物をする「タイガーマスク現象」を短絡的に美談だと捉えて、のっぺりとした善意として報じたり、酔っ払ってケンカした歌舞伎役者の記者会見を延々とライブで垂れ流しにすれば、それで視聴率が稼げるからいいとしたりするんです。

あの海老蔵さんがケンカ後初めて記者会見した日ですけど、あの日はウィキリークス事件の起きた日で、CNNもBBCもウィキリークスによる機密文書の大量暴露のニュース一色だったんですけれど、日本のテレビでは海老蔵事件ばかり映していました。ウィキリークスが陰湿な悪なのか、正義の味方なのか私にはわかりませんが、国際社会の構図をもしかすると将来変えるような問題が起きていることに理解が及ばなかったのか、あるいは視聴率しか頭になかったのか、どちらにしてもNHKから民放まで知性不在ですね。メディアの人たちは本当に自分の頭で考えていないから、あの仕事ができるんでしょうね。

若い人が新聞を読まなくなったといいますが、私にとって新聞を読むのはほんとうに楽しみなんです。椅子に座って大きな紙面を広げ、それぞれ編集された紙面を見ながら、その中で何が重要かそうでもないか、自分で考えて選ぶわけですからね。テレビには自分の選択がなく、あてがい扶持《ぶち》の情報を受けるだけですが、新聞を読むことはさまざまなことを考えたり、書くものを考えたりできます。

私は、いつの間にか、自分の「個」を持っている人たちとだけつき合うようになってしまいました。ですから親しくなるのは一見、素直でも優しくも従順でもない、業突張《ごうつくば》りで「ああ言えばこう言う」タイプの人ばかりですが、言い換えれば、自分で考えているおもしろい人たちです。個とは、個人主義だとか大げさな思想めいたものではなく、人生を自分の頭で考える、自分の趣味で選ぶという人間としてごく当り前のことです。おかずの味や小遣いの使い方、ごみの出し方など他人にはくだらないと思われることでも、何であれ自分の好みを持っている。その小さな個が出会った時にこそ、楽しいと感じられるのです。

例えば、近頃、煮魚の味が関西風の薄味になったと言われている。それが上品だと思われている。しかし私は東京の生まれなので、甘辛くしっかり煮て、少しの量でたくさんご飯が食べられるようにします。子沢山《だくさん》の質素な家庭に便利な味つけなんです。関西では「下品な味」といわれるでしょうが、それは善悪の問題ではありません。もともと人の世には、色々な好みがある。それなのに最近は関西風の薄味が上等、ということになって困ります。私が煮るような味が世間になくなりつつあるんです。

うちにいらっしゃるお客さまはごてごてに煮た甘い金目鯛を召し上がるのがお好きでね。それを目当てにいらっしゃる方も何人かあるんです。私が、一杯呑み屋をやるならごてごて煮つけを出したいですね。でも関西風も関東風もあるのがいい、というのが、私の考えなんですけどね。

自分の好みで自身を鍛える

私は足が悪いので山登りはしませんが、もし山に登ったら途中で自分の意思で動けなくなるぐらい疲弊するだろう、ということは想像がつきます。その時、化《ば》けの皮がはがれて自分のどんな悪い性格が出てくるのか、それを見るのは悪くないですね。他人に荷物を無理矢理押しつけて、自分だけは水を飲ませてくれと喚《わめ》くかもしれない。だから、他人に被害を与えないために山登りをするつもりは今後もありません。

ただ、山を登るのが苦難に打ち克つことで前よりましな自分を作るためであるならいいことですね。私には登山の代わりに文章を書くという長い辛抱の時間が続いています。どんなに疲れていても、締め切りが来たらその日のうちに書き上げるのは物書きとしての義務であって、辛くたって当り前のことです。辛いことをしない人は何ももらえませんね。お金も達成感もなくて当り前です。何もしなかったんですから。それを不平等だの、社会がまちがっているの、と言われると、働いた人たちは怒りますよ。

もともと人間は、どこかで自分の好みに従って自らを鍛える存在であるはずですが、現実にそれができない人が増えているのは、自分自身の、自分なりの目標も考えも持たないからだと思います。

毎年一月の成人の日になると、若い女の子たちはみな同じような振袖に白いショールを巻いて、カメラを向けられると蟹みたいなピースサインをしてみせます。私はその様子を見るたびにいやになるんです。仮にも一人前の大人の仲間入りをするという日に何も個性を発揮していない。人と同じような身なり、人と同じような写真のうつり方。自分の子だったら、私はまだ幼い時からピースサインなんか決してさせません。平和は命をかけて守らなければならないものですからね。軽々に、扱うものじゃないんです。

昔は着物にせよ外出着にせよ、母や祖母のお古《ふる》で少々古めかしくても、みんなが違っていましたし、他人と同じものを着るのは恥ずかしいことだと思われました。人間はみな生れながらにして違うし、それぞれ望みも違っていて当然なのに、条件反射のような一律横並びの光景を見るたびに、希望まで他人と同じなのかな、とちょっと気の毒になります。

少し前までの日本人は人間に対する恐れや疑い、たゆたいのようなものをみな持っていました。けれど最近は羞恥というものが消え失せてしまい、それが世の中から陰影というものをなくしたんでしょう。例えば入社面接で「あなたの長所は何ですか」と聞くのも、学生がすらすらと自分の美点を答えるのも、人として恥ずかしいことなんですけどね。日本財団で働いていた時代、私もそんな入社試験の場に立ち合っていたんですよ。

話は変わりますが、少し前に、民主党に「ぬくもり助け合い本部」なるものが出来たと報じられました。無縁社会への対策を考えるという目的は別として、そのネーミングの幼稚さはどうにもなりませんね。野田佳彦総理はこれよりずっとましなセンスをお持ちのようにお見受けしますけれどね。

言葉には人それぞれに特異な感覚があって、ただ単に聞こえの良さそうな言葉を並べればいい、というものではないのです。例えば以前、大手銀行に勤める知人が「本社の地下にプールを作って、女子行員とのふれあいの場を作るのが僕のプロジェクトなんです」と言うのを聞いて思わず笑ってしまったことがありました。それは彼が頭脳も家柄も抜群なのに絶対に偉ぶらない、都会的なセンスを持った方だからこそ通じる、上等なジョークでした。

同じ言葉を使っても、使う人によって相手の印象はまるで違うものです。言葉は人によって実に広範な選択が伴うはずなのに、その使い方においても、他人と違うことが恐怖でしかなくなっているからこそ「ぬくもり」「助け合い」「ふれあい」みたいな、どうしようもない凡庸な表現がいくらでも使われるんです。

近頃はトイレにこもって昼ごはんを食べる大学生がいると聞いて驚きましたが、他人とご飯を食べるのが嫌なら、公園のベンチに座って一人で堂々と食べればいいのです。それで警察に突き出されるわけでも罰金を取られるわけでもないし、「僕は人と飯食うの、嫌いなんだ」と言えばそれで済むことなのにね。「友達が少いのは駄目な人間」と思われるのを恥じているんだとしたら、二重の意味でなさけない人です。

自分自身の価値観や好みを隠して他人に迎合することに馴れてしまうと、いつまでたっても人として芽が出ないばかりでなく、抑圧された欲望が、奇怪な人間の性格を生むことになります。ナチスドイツも、みんなが周りに追従して同じことを重ねた結果、あれほどの虐殺に至ったのです。自分というものを大事にしないで、根拠なく他人と同じことをするというのは、本当に怖いことなんです。

ルールより常識を備える

一九九五年に日本財団会長になったばかりの頃、マスコミは官民接待の禁止だけが主な情熱でした。財団でも、来客に出すのにお茶は良くてもコーヒーは駄目だとか、重箱の隅をつつくような話になっていて、ではインスタントコーヒーはどうなの？って私は冗談で聞いたんですけど、誰も明確な答えなど出せるわけがありません。

当時、財団はマスコミ関係者に、あちこち現場をお見せしていたんです。私は人がきびしい作業をしているところをマスコミに見せたいという情熱がいつもあるんです。例えば国土交通省海事局がやっている港湾管理（port state control）の現場などもその一つです。

東京湾では世界中からやってくる商船や輸送船が日夜往来しています。中には海図も持たず、積荷の中身も定かでなく、香辛料を満載した船とか使用済みの注射器をゴミと一緒に運んでいるとか、想像もできないような船もいます。その様子を実際に見学してもらったところ、「こんなことが行われているとは、考えたこともなかった」という新聞記者もいました。

視察の後、財団ではマスコミの方々に軽食と飲み物を出しました。これさえ饗応と言われかねないような空気の時です。何かと財団の揚げ足を取ろうとする向きも多い時期でしたが、私はあえてそういう場を設けました。もとはと言えば全て神がお造りになったもの、それをひと時みんなで分かち合い、楽しい思いの中で理解を深めることのどこが悪いんですか。焼きそばにサンドイッチ、ビール程度のことで好意的な記事を書いてもらおうという目的を持つわけがないでしょう。要するに、理由を問われてきちんと答えられるなら敢然とすればいいのです。

ルールという表面的なことにとらわれると、自由を失いますし、なぜそういうことをするか、と尋ねられても、人を納得させる返事はできません。常識の大局さえ外さなければ、めいめいが、いいと考えたことをすればいいのです。ただし理由を問われた時は、その人なりの個性で明確な返事ができなくてはならないということです。

常識というのは、人間の中に普通に内蔵されているものだと私は思います。この世で他人のご馳走になるのは絶対に許されないことなのか、大人の常識で考えればわかることです。それでもおかしいと言い張る人がいたら、参加した記者の人数で総額を割って平均が幾らになるか、即座に計算して見せることもできます。当然ながらそれは、常識で考えて問題になる金額になりようがないのです。

霞が関の官僚が深夜タクシーで帰宅する際、運転手さんからビールや栄養ドリンクを供されたことが一時問題視されましたが、それも人間の常識で考えて悪だと説明できるかどうかにつきると思います。けれども高級官僚が競走馬を買って愛人の名を冠したとか、防衛省の事務方トップが業者とゴルフに行って賭け麻雀をして食事をご馳走になるとか、その一つ一つは大した問題にならなくても、一日にフルコースの接待を受けて平気というのは、やはりおかしな感覚を持った人たちですね。人間どんな遊びもしたいものでしょうが、その時には、休日に自分のお金で遊べばいいんです。

東京都知事が訪問先のアメリカで、高級ホテルのスイートルームに泊まるのをマスコミが贅沢だと叩いたことがありましたが、都知事は日本の首都のトップであり、Governor、単なる市町村長のMayorとは全く格が違います。ゲストに会うのでもセキュリティの上でも、普通のホテルのワンルームに泊まる方がよほど非常識です。

それと同じように、首相だった頃の麻生太郎さんが高級ホテルの会員制バーで飲むのはむしろ実質的だったんじゃないんですか。銀座の高級クラブで横にホステスをはべらせたら値段がケタ違いに高くなるだけでなく、話の機密性が保たれません。正義の味方気取りで追及するマスコミや政党の方が貧乏たらしく、みみっちく感じられるんですね。

幼稚でみみっちいルールを次々に作って、その中で動いてさえいればいいと考えるのは、一見きちんとしているようでいて、実は人間として何も考えていないのと同じなのです。

ことあるごとに政治家が頭を下げ続ける政治資金規正法は、その象徴だと思います。少し前に前原誠司外相（当時）が長年つき合いのある焼肉屋の韓国籍のおばさんから、年に五万円の献金を受けていたというので辞任しました。

厳しく言うなら、政治家という仕事を選んだ以上は、全身をハリネズミのように緊張させて常に人を疑う必要がある、とは言えますけどね。裁判官などがそうであるように、他人の話を疑い、目の前の相手を疑い、友情までも疑うような仕事を選んだのだから、自分でそれを貫かなくてはならないのに、そうではなかった前原さんは、その意味で甘かったんでしょう。

そもそも政治家は、ある意味で乞食と同じだと思えますけど。票をもらうためにはおもねり、その上、人からお金をもらわないといけないからです。私たちはそんなことしなくても生きていけるのにね。

もともと私は投票という政治制度をどうも信用できないんです。選挙になると、選挙カーに乗って名前を連呼する、タスキを掛けて自転車で走る、「ガンバロー」と拳を突き挙げる、当選したらダルマに目を入れてバンザイ三唱、どこを見ても同じです。自分に投票してもらうために、相手に良く思ってもらおうとして、笑顔と握手ばかり。政治に知識や関心のある人もない人も、誰もが等しく一票を投じる制度のもとでは、耳障《ざわ》りなことを言うのは避けて常にどこかで有権者におもねらなくてはなりません。

しかし本来、人間として考えるなら、子供の時分から世話になり、応援もしてくれた七十歳を過ぎた焼肉屋の小母さんになら、「おかげで私も政治家としてひとかどの人間になりました。ハンドバッグやブラウスの一つも買って下さい」と言って五万円ぐらい上げるのが自然でしょう。しかしそれは規制に抵触するからできないと言うし、結局、その昔からなじみの小母さんからお小遣いをもらっておいて、知らなかった、だから礼の一つも言わなかったということになる。政治家って、何て心貧しくならなきゃいけない仕事なんでしょうね。本当にお気の毒ね。

このお話、何から何まで無礼でみみっちいのです。細かくルール化すればするほど本質から遠ざかり、内容そのものが良いのか悪いのか、それさえもわからなくなることが問題です。いちいち詳細なルールなど作らなければ、自分がどういう思いで行動し、人に聞かれた時にどう説明するか、人間性の内実をしっかり踏まえてその都度考えられるはずです。

最初からその過程を放棄してルールの中に逃げ込んでいては、どんどん人間そのものがわからなくなっていきます。マスコミがルールという名の下に差別語を自主規制していけばいくほど、差別について人間として深く考える機会が奪われていくのと同じことです。

第四章　すべてのことに両面がある

人間全員が狡《ずる》で悪と考える

私は「天下の美女」と謳われた山本富士子さんやエリザベス・テーラーとほぼ同い年で、マリリン・モンローは若い頃の私と同じ身長・体重でした。これは正確な数字なんです。彼女が自殺した後で、モルグが発表した数字ですから。私がそう言うと、男性は揃って「嘘でしょう」とがっかりしたような顔をしたもんです。こちらも「男ども」の夢を破りたくて、わざと言ってたんですけどね。持って生まれた容姿も、稼ぐお金も決して平等ではない。それは人間社会では当り前のことです。

にもかかわらず「人間は平等」と教えるのは、基本的にまちがいですね。例えば「日本は民主主義である」と言う時には二つの意味があって、一つは、言葉通り「日本は民主主義体制である」ということ。もう一つは、「日本は民主主義国家であるようにめざしている」という意味です。現実としては後者が現実で、必ずしも前者はまだその通りになっていない。

同じように、人間は平等である、と望んだとしても、現実にはどこまで行っても人間は平等ではありません。しかし細部で、平等であるように心がける。その二つをごちゃまぜにして、平等でないとなるとたちまち不平不満を訴えるのは、現実を見ていないんでしょうね。

何事にも一面だけではなく、善悪両面があるものです。最近「孤独」が社会問題視されていますが、人とのつき合いが私たちを豊かにするというのも本当なら、孤独が人間を鍛えるというのも、試練が人を強くするというのも真実です。人間は、誰もが平等ということはあり得ないし、皆がいい子どころか全員が悪い子の面を持っているし、あらゆる人は狡くて悪い性格も持っています。誰もが悪いけれども、誰もが時にすばらしい面を見せる可能性を秘めている、それが人間なのです。

私はずっとカトリックの学校に通いましたから、天皇陛下の神格とか、神国日本という戦前の考え方にとらわれずに済みました。終戦の年に中学二年生で、戦後社会で人間形成された部分が多いのですが、幸いにして戦後教育の誤りにも毒されませんでした。

「格差はいけない」と皆こぞって言います。格差をなくすようにすることはもちろんいいことですが、人並みなことが嫌いな人もいる。どころか誰もが人と同じじゃいやだから、ファッションとしてジーパンをわざと破ったりするんです。つい先日も、私が出るテレビ番組に、ボランティアとして立派な仕事をしている方に出て頂いて、甘くないボランティア論をして頂こうと思ったら断られました。テレビには主義として出ないんだそうです。爽やかな選択ですね。

善か悪か、白か黒かでしか物事を考えられないのは幼稚さの表れだと私は思います。「艱難汝《かんなんなんじ》を玉にす」（人間は多くの困難を乗り越えてこそ立派になる）が本当なら、「艱難汝を僻《ひが》ます」というのも事実で、どちらが嘘ともいえないものです。

多くの人間は凡庸で、神でもなければ悪魔でもありませんから、完全な善人も、完全な悪人もいない。善悪九九パーセントから一パーセントの、いわば極限の間にいて、一〇〇パーセントの善人にも悪人にもなれないのが人間です。pHなら、7という値を境にアルカリ性と酸性を分けるのは理系的な感覚ではあっても、人間というものは善悪はっきり分けられませんからね。ルールの中には収まらない優しさ、恐ろしさ、面白さを抱えた存在であることを見きわめる感受性と勇気が必要です。

人生のあらゆる要素が、その人にとってプラスとマイナス、どちらに作用するかはわかりませんが、どちらも要るものだと私は思います。希望もいるし、絶望もいる。孤独だけでもへたばるから、時には大勢でお酒を飲んでいい気分になる時もいるでしょう。両面があって両方とも要る、ということです。

以前、人に薦められてある宗教団体の教祖の自伝を読みかけましたが、「とにかく自分は哀れな人を救うのが好きで、幼い時から自分は食べなくても人には食べさせた」というような記述が延々と続いて、どうしてもついていけませんでした。善い悪いで言えば、立派なことなのでしょうが、私の感覚とは違いすぎます。

世の中には私と同じように感じる人もいるはずで、良いことは結構だが、良いことだけでもやっていけない、という気がしてしまいます。周りを見渡してみても、自分を含めて皆いいかげんで、思いつきで悪いことをしたり、ずるをしたりする。でも、いいこともしたいんです。その両方の情熱が矛盾していない。それが人間性だと思うのです。

昔から私は純粋より不純が好きで、不純だけがリアリズムで実人生だと思っていますし、実際それほど図抜けて善い人にも、全く悪い人にも会ったことがありません。

大江健三郎さんは、沖縄戦で渡嘉敷島の集団自決を命令したという二十五歳の陸軍の特攻舟艇部隊の隊長について「罪の巨塊」と書きました。私は、その言葉一言で、それほどまでに悪い人間がこの世にいるならぜひ会ってみたいと思ったんです。『沖縄戦・渡嘉敷島「集団自決」の真実』を書いた理由です。ところが、どんなに関係者にあたっても、その人が自決命令を出した、と言明する人に会わない。むしろ「出していません」と言う駐在巡査や、沖縄県人の副官はいらした。私は罪の巨塊の名に値する悪人に会いたいと思っていたんですが、そう決めつけられた隊長も、判断に小さなまちがいはあったかもしれないけれど、普通の善良な人でした。

アウシュビッツを初めて訪れた時、私はたった一日で自律神経失調症になりました。自分ではそれほどやわな人間だとは思っていなかったのに、不整脈を起こすぐらいの衝撃を受けた。それからナチスに関連する本を次々に読んだのですが、たくさん読めば読むほど、ヒトラーもアイヒマンもつまらなくなってきました。

『「アイヒマン調書」イスラエル警察尋問録音記録』を読んで、ホロコーストへの怒りを掻《か》き立てられる人は多いと思いますが、彼の返答は、自分を生かすためなら人間誰でもこういう答えをするだろうな、という範囲を出ていない。「彼らを移動させるのは自分の命令だったが、それは上の命令によるもので、行った先で何があるか薄々知ってはいても、移動させるのがその時の自分の任務である以上従わざるをえなかった――」という調子で、やはり五十歩百歩の人間なのです。

小説家は徹頭徹尾、人間の現実を見つめようとするものですが、自分自身をアイヒマンに置き換えてみても、彼と同じような行動をとるかもしれない。さもなければ英雄的になって途中で汽車を止め、扉を開けて捕われたユダヤ人全員を解放するのか。しかし、自分の死を意味する行動まで思い切れるかどうか、私自身、何とも言えません。

do-gooder にはならない

李庚宰という韓国人神父のことは今でもよく覚えています。彼は医師ではありませんでしたが、自分でお金を集めて、韓国ですでに治癒したライ患者のために「聖ラザロ村」を作り、共同生活をさせていました。

村の生活環境を良くしようと、寄附金を集めるために度々来日していたので、私は李神父の顔を見るとまたお金集めにいらしたのか、と思うようになっていました。そこである時「神父さまは、今度は何のためにお金がご入用ですか」と尋ねました。

すると、「日本人やドイツ人のおかげで聖堂と住居は建てることができましたが、まだ食堂がありません。今は割り当てられた自分の部屋で食べていますが、食堂があれば、集まってコーラスを楽しんだり映画を観たり、誰かを招いてお話を聞いたりもできるのです」と言う。「それで、いくらかかるのですか?」と聞くと、「六百万円ほど」と言います。その時、私の頭に浮かんだのが同じ同人雑誌で仲間だった梶山季之《としゆき》さんでした。売れっ子作家で美男だった梶山さんは当時、毎月のバーのつけが百万円を超えるという噂があるほどでした。半分の三百万は、バーの支払いのたった三ヶ月分だから、梶山さんに出してもらって、残り半分を集めようか、ともちろん口には出さずに考えました。

すると李神父が「曽野さん、これは誰か一人には出してもらわないで下さい」と言ったんです。日本語が達者な世代とはいえ、読心術で読まれたような気がして「どうしてですか?」と聞き返すと、「人を助けるという貴重な機会は、誰かに独占させないで皆に分け与えて下さい」と答えられた。

私は黙っていましたが、これほど昂然たる言葉を日本人から聞いたことはありませんでした。やはり世の中には凄い人がいるものです。李神父はすでに亡くなりましたが、それ以来ずっと、私は彼の弟子になったんです。

前にふれた「タイガーマスク現象」が、多くのマスコミで美談として報じられましたが、私は大きな違和感を持たざるを得ませんでした。最初の一人はおそらくそうではないと思いますが、その後に続いた善意のヒーローたちは英語で言うところの「do-gooder」ではないのか。いつでもやめられる、大したお金ではない、自分が楽しい、人にもほめられる、この四つが揃うとdo-gooder＝いいところを見せびらかす人という意味で、つまり一本筋の通ったものじゃない、他人の賞賛を当てにした慈善家なんです。私が無知だったんですけど、この単語、欧米人は「ドゥグッダー」なんて発音しないんですよ。「ダグダー」というから私は全く意味がわかりませんでした。「英文科で習わなかった?」ってバカにされたんですよ。

善い行いは、受ける側のためにも、与える側のためにも黙っていてあげるのが本当です。「善意の広がり、日本人も捨てたものじゃない」と賛美するのは実は逆で、人から見られて立派なことを嬉々としてするのは恥ずかしいことなのかもしれませんよ。少くともいい趣味じゃありませんね。

インド北部の古都アーグラという土地へライ病院の取材に行った時、パーシーと呼ばれる拝火教徒の家で、魚のフライが食事に出されました。アーグラは内陸部なので「この魚はベンガル湾とアラビア海、どちら側で獲れたのですか」と聞くと、「ヤムナですよ」と答えます。つまりガンジス河支流にあたるヤムナで獲れた新鮮なお魚だということです。でもヤムナにも、死者を火葬したあとの遺灰が流されます。貧しい家では火葬に充分な薪を買うお金がないので、往々にして死体が生焼けになりますが、それもそのまま流します。したがってヤムナの魚は人肉を食べているはずです。

私は一瞬ためらってから、フライを口に入れました。もしそこで固辞すれば、私は「どんなことがあっても人肉など食べません」と死ぬまで言い続けるかもしれない。けれども、生物が死を介して他者に食べ物を与えているのが自然界の法則です。人間は他から与えられる存在であると同時に、他に対して残酷なことをする存在でもある。むしろ私自身を含めて、人間は必ず悪いこともする存在なのです。それを認めようとせず、自分は善人だと無邪気に考える人は始末に困るものですが、私自身、do-gooder になる気はなかった。

do-gooder が大嫌いなくせに、なぜ私が度々アフリカへ入るかと問われれば、第一は、お金を出して下さっている三千人のサポーターへの報告義務があるからです。第二に、食べ物がなくて膝を抱えて寝るしかない、高熱に苦しむ子供に薬一つやれない、それは同じ人間として悲しすぎるからできれば逃れさせたい、そしてその先は彼らが自分で勉強して考えられるように学校を建てよう、その程度のことで、特に善いも悪いもありません。

侮蔑と尊敬は両立する

私にはコーカシアン優越論の根拠も意味もわかりませんが、黄色人種が侮蔑されているのは経験上まちがいなく言えることです。欧米での財団の活動でも、口には出さないにせよ、陰険な優越論者だなと感じることは幾度もありました。しかし、そうだとしても私自身は全然困らないし、傷つきもしません。白人だから黒人や黄色人種より優越でなくてはならないなら、そのこと自体随分と御不自由なことね、としか思いません。

私自身にアフリカの黒人に対して差別意識が全くないかと訊かれたら、やはりありますね。個人的にはいい人をたくさん知っていますが、筋の通らないことをする人や、迷信に固執している人や、怠け者は多いですから。でも理由もはっきり見えています。為政者が利己的で国民のことを考えない。日本人のような教育を受けていないし、職もなくて、未来に全く希望を持てない場合もあります。独立してもう半世紀近く経っていても、まだ植民地支配のせいにするのも、私は納得できない。しかし一方では、彼らの生活能力の偉大さには、いつも深い尊敬を抱きます。

晩に食べる米があれば、午後中かかって子供に臼と杵で搗《つ》かせておいて、夕方になると小屋の前の、もちろん露天ですよ、竈《かまど》にお母さんが苦労して集めた薪を入れて、夕飯の支度をする。夕闇せまる頃にはチロチロと火が燃え、香ばしい煙が村全体にすうっと漂《ただよ》う。お父さんもお母さんも子供たちも、その日食べる物があるというだけでもう充分に幸せで、明日はあるかないかなど考えない。今日、明日、明後日と、絶えず心配や不安にとらわれるような生活とは全く次元が違います。

たしかにアフリカは貧乏で埃っぽくて衛生観念に乏しいので、道にはそこらじゅうにゴミが散らかっています。でも家の中はきれいなんですよ。そのアンバランスが、いろいろなことを物語っていますね。水も燃料も満足にないのに、マラリアのような風土病はいくらでもあってエイズも国によってはひどく蔓延している。皮肉ですね。誰も約束の時間を守らないし、モノの管理は全然しない。清潔好きで几帳面な日本人は大抵怒りだすわけです。

明日になったら飛行機にとび乗って絶対にこんな国は出て行ってやる、もうまっぴらだ……そして翌朝四時ぐらいですよ、目を覚ますのは……。なぜだか理由をご存じですか？　鳥に起こされるんです。木々の梢が薄闇の中に浮かび上がる頃、一羽が十羽、十羽が百羽、百羽が千羽を起こすみたいに鳥たちが眼を覚まして啼き出すんです。そのうち何万羽の大合唱になりますから、きっと煩《うるさ》くて眼を覚ますんだろう、と思います。人間も同じです。その頃、この上なく涼しくて香《かぐわ》しい、それまで一度も人間の肺に入れたことがないような、澄んだ空気がただよって来ます。それから日が高くなり始める七時ぐらいまでのアフリカの朝の美しさというのは、ちょっと言葉では表現し尽くせないものです。

するとつい先ほどまで出発を決めていた人も「もう少し、いてもいいかな」と思ってしまう。それは生命感に溢れていて、鬱だとか引きこもりだとかいうものとは無縁の世界です。これがアフリカという肌の色の黒い美女のしかける「罠」なんですよ。

食べて、寝て、セックスして、その見返りとして貧困や病気がついてくるとしても、強烈な自然の躍動感と逃れられない人間の営みが毎日厳然としてありますからね。死を考えてるヒマもない。人間には差別も尊敬も両方あって、差別の部分だけを隠そうとするのは嘘だと思うし、全く差別意識をなくせと言われても、私にその能力はありません。ですから正直言って、アフリカに対する侮蔑も尊敬も両方持っていますが、どちらか一方で割り切れるようなものではないのです。

南アフリカに行った時、機内で隣り合わせた白人男性とこんな会話になりました。

「私が何をしに、南アフリカに来たか？ってお尋ねなんですね。私は、あなたの国のエイズホスピスに霊安室を作るために来ました。たった五十床のホスピスで毎日一人は死ぬんですよ。霊安室がないと死体がすぐ腐るでしょう。あなたたちの国が霊安室も建ててあげないから、日本人が建てたんです」

「どんなに我々白人が働いても、黒人の政府は汚職をしてどんどん金を垂れ流してしまう。マンデラが大統領になってからというもの、国中が汚職で溢れているんですよ」

「じゃあ、なぜあなたはそういうことのないヨーロッパに帰らないのですか」

「何でそんなことする必要があるんですか？　あなたはこの国の美しさを見たでしょう。僕はここで生まれた。ここは僕の国です。自分からそれを捨てる理由はない」

話は矛盾しているようで、しかしよくわかる気もします。差別を感じてしまう要素は歴然と存在する、喩えようのない美しさもある、それがアフリカなのです。

階級差別が厳しいインドのヒンドゥ社会では、ダーリットと呼ばれる最下層の不可触民がいて、彼らと接触すると「穢《けが》れる」と思う人が今でもいる。私は外国人ですから、そんな風に思ったこともない。ダーリットの中にも正直で優秀な青年はいるし、彼ら自身が差別好きで、自分より下の階層の概念を作って、今度は差別する側に廻っている人もいますからね。つくづく人間というのは、差別が好きなんだろう、と思いますね。

一方で最上層のブラフミンは、もしその人の家に世界で最も有名なアメリカの大統領夫妻が来たら「どうぞ、光栄です」と言って招き入れながら、帰った後で「居間が穢れた」と言って、不浄を清めるために牛の糞でお清めするにちがいない。菜食主義のブラフミンにとって、血の入った肉を食べる者は全部「穢れている」からです。

もちろん私はそういう教義を納得はしないし、厳格な階層差別の社会に入りたいとは思いません。しかし、一方では牛糞で清めて気が済むならそれでいいだろうと思います。見方によっては偏見や差別でも、それは人間の賢さかもしれないし、愚かさかもしれない。差別は不自由でつまらないものですが、ある意味では人間の面白いところです。それが文化の一要素でもあるんです。それは非人道的なことだ、人権に対する根本的な挑戦だ、と決めつけている人には、とうていわからない人間味なんです。

乞食もまた労働である

格差が良くないことはもちろんですが、格差が文化を創り出すというのも真実です。のっぺらぼうみたいな平等社会の中では文化も芸術も出てこないし、強大な富によるパトロネージなくして、レオナルド・ダ・ビンチのような偉大な芸術家は決して現われません。歴史を振り返ってみても、不法な富の蓄積がない所に文化は生まれない、それが物事の両面性というものです。

片方が贅沢三昧の生活で、もう片方が食えないのは悪いことだとしても、どちらの方が幸福の総量として多いかはわかりません。そもそも、あらゆる為政者の人生は評伝を読むほどに惨憺《さんたん》たるもので、そこにも幸福と不幸の両面性があるんでしょう。

邱永漢さんは昔、「ほんとうに幸せなのは、小金のある庶民だ」と言いましたが、私を含めて多くの日本人がこれにあてはまります。その日に食べる物、着る物には事欠かず、毎日お風呂に入れて、薪集めをしなくても、冬は暖かく暮せる。近代的な警察組織が治安を守り、交通機関が正確に運行されていて安心して外に出かけられる。世界でもごく少数の人しかあずかれないこういう暮らしに対して幸せを感じないとしたら、大変な人間性の欠落ですね。

今の日本人は、貧しいという意味がわかっていないようです。健康と自由と、多少のお金があって海外にも行けるのに出て行かないから、ますます狭い視野でしか物事の判断ができなくなっている。当人も親も冒険はしたくないし、させたくない。何かと言えば安心・安全を謳う世の中で、生活全体が手厚く保護され、底上げされているにも関わらず不平不満が多すぎるのはメディアが煽《あお》るせいなのかもしれませんが、「井の中の蛙《かわず》、大海を知らず」の島国根性としかいいようがありません。

私が考える貧困の条件とは「今晩食べる物がない」ことたった一つです。食べるのに困るといっても、どこかに行けばあるのは貧困とは呼びません。アフリカで「食べ物がない」と言ったら、本当にどこにもないことで、その解決策は、空き腹を抱えて水を飲んで寝る、盗む、物乞いをする、その三つしかないんです。

北イタリアのトレヴィーゾという古い町へ行った時、クリスマスの時で賑々《にぎにぎ》しく飾られた一軒のおもちゃ屋の前で足が止まりました。もともと人形はあまり好きではないのですが、そこにあった一種の民俗人形というのか、古くから村にありそうな労働の様子――井戸から水を汲み上げる前掛け姿のおばさん、薪を割るおじさん、ピザを焼く男――などが電気じかけで動く人形になって並んでいました。

どれも動作は一つだけで大して精巧ではないのですが、合成樹脂で作られた人形たちには妙にリアリティがありました。一つ七百ユーロ（約七千円）は土産には高すぎると思ってけちって買わなかったんですけど、中でも私が感心したのは、片脚がなくて松葉杖をつきながら、手に持った笊《ざる》を差し出す動作をする乞食の人形でした。

イタリアでは、乞食もまたれっきとした職業の一つとして割り切っているから、人形の彼もまた「働いている」んです。イタリアという国は首相が買春で訴追されるなど俗っぽくて賑々しい反面、実に人間的で奥が深いところがあります。堕落した司祭も中にはいますが、それで信仰がなくなるというわけでもなく、混沌をそのまま受け入れています。

そもそも混沌のない理詰めの世の中など、蒸留水みたいなもので魚も飼えません。信仰も堕落も理性も感情も、あらゆることが混沌とした人間社会の大きな渦の中で、自分にとって何が大事なのかをつかまえることで、れっきとした人間が作られる。つまり、混沌こそが人生なんでしょうね。大新聞も一部の出版社も「乞食」という言葉を使っただけで差別だから訂正しろと言ってくる日本とは、まったく考え方が違います。

イタリアにいる日本人から聞いた話では、入会した修道女たちの卵に、まずどこか有名な大寺院《ドゥオモ》の前などで乞食をさせる修道院があるそうです。シスターの中には貧しい家の娘さんや、両親のない人もいますが、中産階級か上流家庭の生まれで、日々の衣食に困ることもなく、知性も教養も学歴もあって、もちろん他人に物乞いした経験などない人がほとんどです。しかし、それが当り前の自分だと思うと間違えるから、あえて乞食をさせるというのです。つまりあらゆる現世の状況をはぎ取った地点を知って、神と人に仕えよ、ということなんでしょうね。

私は、人間を育てるにはそういう発想が必要だと思います。人間の基本から叩いて叩き潰してから、人間としてスタートさせる。それこそが教育が与えられる強みだろうと思いますし、そうでないと修羅場を乗り越える力も、それより以前に、自分で物事を考える習慣も身につきません。

格差のない社会はない

夫は子供の頃から怠け者で、どうしたらラクに暮せるかばかり考えていたそうです。文章はうまかったので、夏休みの間中日記を書かずにいて、八月の終り頃になってから全部書いたようですよ。三十日分を一度に書くにはコツがあって、曇りや雨など天気だけは友だちに教えてもらい、あとは「おばさんが西瓜《すいか》を持ってやってきた」「洗濯物を落としてお母さんにしかられた」などの出来事を、日付を飛び飛びに書いていく。そうすると文章に類似性がないから、絶対にばれないばかりか、結構いい出来になるらしくて、担任の先生は「三浦の日記が一番いい」と褒めてくれたそうです。

その時、反対に駄目な例として挙げられた子のことを、彼はよく言うんです。一番ダメな日記を書いた子に、先生が罰として自分の日記を読ませた。

「八月一日、子守」「八月二日、子守」「八月三日、子守」……。

この子は、夏休みでもどこにも連れて行ってもらえない。遊園地や海水浴なんか無縁の農家の子で、毎日背中に妹をおぶわされて子守ばかりしている。だから、こうなったんでしょうね。でも、これは詩そのものです。

夫の話では、学校帰りに友達と柿を失敬してお百姓さんに怒鳴られて、大人が入って来られない竹やぶに逃げこんだ時も、その子は背中に妹をくくりつけていたそうです。

やがて青年となって戦死したといいますが、夫はその人の生涯を今でも深くいたんでいますね。私もその話を聞いて涙が出ました。

主人は三多摩生れで、その当時は今とまるで違う田舎ですから、弁当を持って来られず、昼食の時間になるとずっと校庭で遊んでいる子も珍しくなかったそうですが、かつては貧しい子、他の子に比べて家庭的に恵まれない子はどこにでもいました。

現代でも片親だったり、経済的に余裕がなかったりする家の子はいますが、「平等」というあり得ない建前で隠そうとする風潮があります。しかし、子供には子供なりの理解力も対応力もあるものです。運動会で家族が観に来られない子がいたなら、「おい、ここ来て一緒に弁当食いなよ」と誰かが声をかければ済むことです。

私の父は戦時中に直腸がんを患い勤め先の軍需工場で働けなくなったので、生活は少し苦しくなりました。私の同級生の中には裕福な家の子もいて、志賀高原や逗子の別荘によく私を招んでくれましたね。すると私はほいほい出かけて行って美味しい物をご馳走になり、かわいがってもらったものです。何もお返しはできませんでしたが、それが辛いとは思ったことはありません。

貧乏でも卑屈にならない。裕福だからといって金持ち面《づら》もしない。子供同士のつき合いに親の社会的地位や経済環境を持ち込まなかったし、大人の側が斟酌《しんしゃく》する必要もなかった。世の中に平等などないと分かった上で、人間としてごく単純なつき合いができたからこそ、卒業して何年たっても「いい学校だったね」とお互いに言い合えるのです。

中には三千坪以上もあるお屋敷に住んでいる子がいて、大手メーカーの社長令嬢とは知らずに行って驚いたこともありました。もちろん、すごいな、羨ましいな、ぐらいは感じてもそれだけのことです。もしそれを見て、自分もいつか金持ちになりたいと奮起するなら、たとえ凡庸でも一つの奮起の形です。人を羨むことを一面だけで悪と決めつける方が、ずっとつまらない反応ですね。

どれだけ「格差はいけない」と連呼したところで、格差のない世界など存在しません。妙な平等主義で現実まで隠してしまうと、真の友人などできようがありません。逆に、親しい仲間であればあるほど何でも筒抜けに話をするものですから、プライバシーだ、個人情報の漏洩《ろうえい》だと騒ぎ立てるのは間違っています。どうしてもプライバシーを守りたいなら、出生届を出さないしか手はありません。そうすれば年齢も知られず、学校も行かずにすむ。それから病歴が記録に残る健康保険のお世話にもならなければいい、ということになってしまう。

プライバシー、人権という権利だけが強調されるのは理解できません。自分のことを隠そうとするより、人間関係はもっと大らかでいられるんですからね。

戦後社会で、死は「臭いものには蓋《ふた》」のように覆い隠されて来ました。人間が死ぬ様子、死体、死そのものについて考えさせず、見せないようにしてきた。日本の新聞は遺体や血まみれの犯罪現場の写真を載《の》せませんが、外国ではそんなことはありません。それでこそ報道というものです。生があれば死があり、その死の姿にもさまざまな形があるのが人生なんですから。

同じように、権利があれば義務がある、これもまた両面です。私たち人間には、教育であれ何であれ、国民、市民、家族として他から受けたら与える義務があります。生理学的に言っても、私たちの体は空気を吸い込んだら吐き、食べ物を摂《と》れば排泄します。あらゆることにおいて「受けたら受けっぱなし」はあり得ない。それが権利と義務の関係です。

第五章　プロの仕事は道楽と酔狂

才能と辛抱は重なる

わが子を野球のイチローやゴルフの石川遼、スケートの浅田真央みたいに育てようと、幼い時から夢中になる親はたくさんいます。けれども、人間には天賦《てんぷ》の才というものが生まれながらにしてあって、出発点からして平等ではありません。ひたすら英才教育で鍛えても超えられない天性、特に魅せる競技において、身体的特徴や容姿はどうにもならない大きな要素でしょうね。

芸術の世界でも、オペラなどはまさに天賦の才に左右されます。最近はひと昔前と違って、太っていても声量があればいいわけではなく、女性はある程度の美形であることが要求されるようです。それは世界的な傾向で、男性も単に声がいいだけではなく、ある種の性的魅力が求められるようになっています。

イタリアに住む私の知人のもとには、オペラ歌手志望の若い人がたくさん来るそうです。彼女自身、かつてはオペラ歌手を目指していましたが、早々に自分は一流にはなれないと悟ったといいます。その意味では彼女は非常に賢いのですが、そうかといって他人に、あなたにオペラ歌手は無理だから早く別の道へ行きなさい、とは言えないそうです。

自分の持って生まれたものが、その目標に適しているかどうか、何より本人が早いうちに気づかなくてはならないんですけどね。そして、たとえ音楽家や競技者として一流になれなくても、その技術や性質をよく理解して、スケート競技なりオペラ振興のために働くこともできるのですから、悲観する理由もないと思います。

誰かに聞いた話ですが、子供用の小さなバイオリンには必ずシミがあって、それは涙でニスが溶けた跡だといいます。自分の意思ではなく、親や周囲に無理やり習わされて泣く泣く練習した大勢の子供の中には、成長してついに一流演奏家になる人もいれば、全く生涯そのことが役に立たなかった子もいるはずです。あるいは途中まで頑張って続けたものの、病気や挫折によって道を外れてしまい、その道からは離れた人生を送る人もいます。

人生というものは、王道の脇筋に幾らでも魅力的な物語があるもので、実はそれこそが人間の面白さなのです。それを教えてくれるようなことに出会うと、小説家として心の中で「ありがとう」と言いたくなります。

小説家は実に間口が広い職業で、肉体的な資質や特性は何もいらない、厄介な病気も書く上では全部が栄養になる、金持ちでも貧乏でもかまわないし、女にもててももてなくてもいい、そして意地や根性が悪いのはものすごく便利なんです。およそ他では考えられないぐらい、寛容な職業だと思います。

もちろん、書いてみないとわからない部分はあっても、多少の文才と辛抱さえあれば何とかなるものです。文才は辛抱と重なるもので、私は半世紀以上かけて四百字詰め原稿用紙にして少くとも十五万枚、六千万字以上を書いて来ました。取り立てて自分に文才があったとは思いませんが、「書く」ということに関してだけは辛抱ができた。一人前の職人になれる理由です。

人生は本当に面白いもので、何でも自由ならいいかというとそうではありません。その時はわからないことばかりで、後になって振り返れば何にでも意味がありました。どれだけ計算したところで、世の中思い通りにうまくいくものではないし、逆に、大して計算しなくても棚ボタはありますから、その時は素直に喜べばいい。幸福の絶頂でも、絶望のどん底でも、運はゼロではない、それが人生というものです。

プロの仕事は命がけの道楽

労働というのは、プロとアマの二つにはっきり分けられます。アマは労働時間でもって労賃を得る人のことで、一時間に幾ら、という具合に、時間単位で自分の労働を売る。裏を返せば、その間にできるだけやればいいんです。どこかの国の発掘現場の土運び人のように、わざとだらだら動いて時間が過ぎるのを待つような人も出るでしょうね。そういう労働力は安くてもしかたがないし、高くするには、労働の質も上げて時間当りの労賃を上げるしか方法はありません。

一方、プロというのは、時間と全く関係がない働き方です。例えば、原稿用紙十枚の短篇小説を書くのに百日かける人もいれば、そんな短いものなら二時間で書いてしまう、という人もいます。どういう状況で百日かけるのか、同じようになぜ二時間で済むのか、それは書き手の性質、考え方にもよります。しかし、長くかかったからその分、原稿料を上乗せして支払うかというとそうではありません。要した時間に関わらず、得られる原稿料は同じですから、その行為は道楽と呼ぶべきものです。

本当のプロの仕事というのは趣味道楽の領域にあるものだ、と私は思っています。それを自ら納得してするのか、それとも安定して対価を得られるアマの仕事を取るのか、それは自分自身が決めることです。

その代わり、プロとアマとでは世間から受ける眼差《まなざ》しが明らかに違ってきます。プロとアマの仕事を一緒のものとして平等に扱えというのはどだい無理な話で、誰にもプロには仕事の誇りがありますから、いっしょくたにしてほしくないですね。たとえば本を造るなんてことは、本当にプロ中のプロの仕事です。私など眠くなると誤字脱字も平気になるし、年号なんて少し違ったって大したことはない、みたいな精神構造です。でも本造りの当事者は違います。どれだけ手をかけても、端正なものに仕上げる。

少し前まで大企業の社長だったという人が、猫の額みたいに小さな趣味の畑を耕しながら、「いやあ大変だ。畳一畳分でもう息が切れて、三畳もやったら死にそうになった」

と嘆いているその横で、農家の人は面白半分でちょろっと鍬《くわ》を入れたように見えて、たちまちきれいな畝《うね》を作ってしまう。ゴルフと同じで力を抜いてやればいいんですよ、そう言われてもアマにはそれが出来ないのです。

私自身、見よう見まねでやってみても、よれよれの土盛りみたいな畝しか作れません。鍬で筋をつけることぐらいはできても、均等に平らにならすことができない。辺りを見回して、人に見られていない隙に木片で整えたりするのがアマのいじましい所ですが、そうやってあがいています。何事にせよ、素人と玄人では全く違います。ですから、素人は素人なりで楽しめばいいとして、玄人に対してはきちんと尊敬を持たなくてはならないと思います。

医療の現場で広がった「患者様」という呼称には、病人は消費者だから医者より立場が上だろう、というとんでもない誤解があります。あんな卑屈な言葉を使うように指導した人は誰なんですか。厚生労働省ですか？　なぜ「患者さん」ではいけないのか、医療側から疑問が出されましたが、当然です。もともと「さん」付けは悪い言葉ではないし、私は患者は「患者さん」、医者は「お医者さん」、それで充分だと思います。医者は病人を治すプロだから「お医者様」と呼ばれることはあっても、プロの方からへりくだって患者様と呼ぶのはおかしいより気持ちが悪い。

患者が自分でできないことを医者に求める医療という場においては、必ず医師が優先です。たとえば明治の元勲が銃弾を受けて担ぎ込まれたとして、政治力においては当然に患者の方が偉いとしても、医療者としては外科医の方が偉い。そこで呼称をどうするかは、人間に対する尊敬とは本来全く関係のないことです。

夫はよく「僕は小学校の時に、もう三つは就職先があったんだ」と言います。子供の頃、学校帰りにランドセルを背負ったまま煮豆屋、経木《きょうぎ》屋、佃煮屋の店先にしゃがみ込んで、豆を煮返す作業や木を削って経木を作る作業の繰り返しを「すごい技術だ」と感心しながらずっと見ていた。子供心にも、職人芸への畏敬の念があったということでしょう。すると三軒全てのご主人から「坊や、うちの子にならないか」と誘われたそうです。そういう無心な熱心さがあれば、いつの時代も何かしら職に就くことはできそうですね。今では作業が機械にとって代わられてしまい、見たくても見られなくなったものが多いのは確かですが、職人の仕事に対しては深い尊敬の念を持たなくてはいけません。

得意なことや特技があるという人は大勢います。しかし、プロとアマの労働には歴然とした違いがあるように、毎日十時間以上も練習するプロのピアニストが客に聴かせるのと、多少は弾ける程度のアマチュアが他人に聴かせるのとでは全く意味が違います。プロとして上に立つ人の仕事には、持って生まれた質だけでなく、それだけの努力の量が含まれているのです。

道楽は酔狂でもある

道楽は、酔狂と言い換えられるかもしれません。十年ほど前、二代目水谷八重子さんが演じる新派劇、泉鏡花原作の『瀧の白糸』を観に行きました。貧しい学生と恋に落ちた水芸の女、瀧の白糸は、自分が貢《みつ》いで東京帝国大学法学部を卒業させる。しかしその直前、あやまって人を殺してしまいます。死刑判決がかかった有名な「金沢法廷の場」で、愛する男は判事として末席にいて、自分が被告に金を貢いでもらったということは黙っている。出世の妨げになりますからね。主席判事が「どうしてお前は水芸の女ふぜいで、三百円もの大金を男に貢いだのか?」と訊ねます。

すると水谷八重子さん演じる白糸もこう答えます。

「だから言ったじゃありませんか。それは、私の酔狂だったんですよ」

要するに「自分が好きでやることだから、余計なことは言うな」という意味です。瀧の白糸は目の前にいる男に「私は、おかみさんなんぞにしてもらおうと思っていませんよ。自分は身分が低いからそんな望みは持ってはいないし、ただ好きだから、酔狂でやっただけ」、そう告げて運命を受け入れているんです。やはり酔狂とは、命を懸けるほど輝いているものなんですね。

私は女ですから愛人を囲ったことはありませんが、その想いはよくわかりますね。酔狂とは前後左右も見境もなく、ひたすら惚れた相手に愚かしく入れあげることですから。真心を尽くせば女性はなびく、といわれますが、それだけ対象への忠誠がないと駄目だということです。それを忠誠というか道楽というかはさておくとして、愛人に何かものを買ってあげるのでも食事代を払うのでも、それは絶対に自分のお金でなくてはならない。そしていずれは奥さんとの衝突が待っていて、人から「それ見たことか、馬鹿な男だ」、そう嗤《わら》われることまで覚悟しておかなくてはいけません。

世間が「あの人は、実に立派なことをなさいました」と言うところを、私はあえて「酔狂」と呼びたいことが多いんです。社長の小唄趣味とか、令嬢のピアノ演奏会の類には命など懸かっていませんが、本当に命懸けのものは人をして「ああ、すごい」と思わせます。誰に言うでもなく、恥ずかしげもなく、身も心も入れ込んでそのために命を捨てられるなら、それこそが酔狂で、人間として生きた証だろうと思うのです。

私は、いまだに「道楽」という言葉は道を楽しくすることとか、道を楽にすることとか、どちらの意味なんだろう、と思います。しかし、楽にもなり楽しくもなる道楽と、命懸けの酔狂というのはどこか似ていても違うように感じられ、酔狂こそが人間を生かすのではないかと考えています。

附和雷同は道を閉ざす

最近の若い人たちは道楽や酔狂にはしるような勇気は全くなくて、できれば他の人たちと同じように、安定したところへ行こうとする傾向が強いんですね。毎年、これから先はどこの就職先がいいとか悪いとか、人気企業ランキングの類を目にするたびに、私はちょっと悲しくなる。

一例として、日本郵政は就職先として上位の人気企業かもしれませんが、どうして日本郵政へ行きたいのか、社外取締役の一人としては言いにくいのですが、理由が思いあたらないのです。人間が字を書かなくなった時代ですから、郵便事業が年々赤字続きなのは当然です。いつになったら郵便事業を止めるのか、誰も口にしませんが、私は「もう止めた方がいい」と思っています。

止めるのは、恥でも何でもないことです。物事にはすべて潮流というものがあり、扇子屋も墨屋も事業自体が悪かったわけではなく、世の中が、時代が変わってしまったのです。人間がいつかは死ぬのと同じように、どんな仕事や事業にも終息の哲学と美学がありますね。何百億もの赤字といっても、一部の人が巨額の横領をしたとか、従業員がうんと怠けたわけでもないのですから、全然恥ではありません。誰かの責任を問うのではなく、事業としての運命を受け入れる勇気があるかどうかの問題です。日本航空の二の舞になる前に郵便事業から賢く、人間的に撤退することは、非常に男らしさの要る決断だと私は考えています。それを意識した上で来てくれる人はすばらしい人ですね。

自分の労働を社会全体の中で認識して、それを意識して働くことが大切で、意識しないよりは意識してする方が、人間は楽しくなるものです。就職氷河期という言葉は一面の事実だろうと思いますが、附和雷同型の考え方にこそ問題の根っこがあります。

私はむしろ、へそ曲がりをしていれば食える、と考えるほうです。別に大した根拠はないのですが、みんなと同じ所に向かって行くと踏み殺されるから、とにかく人が行かない方向を選ぶ、他人がやりたがらないことをすれば少しは自分の生きる道があるかもしれない、ということです。

附和雷同の風潮は社会のあらゆる分野で強まっていて、差別語はその象徴だと思います。五十代の終りに、私は新聞に『天上の青』という連続殺人犯を主人公にした小説を連載していました。すると一人の七十代の人から「新聞という公器になぜ悪人のことを書くのか」という投書をもらいました。この人は七十にもなって、まだ何も人生がわかっていないんですね。いい人しか出てこないような小説など、退屈で誰も読まないはずです。女房を騙して愛人の所へ行ったり、人を殺してしまったり、詐欺師もいる。悪い人や悪いことについて書くのは、人生にはそれらのことがいつの時代になってもあるからです。政治的な圧迫を受けたり、人類全体が強力に洗脳されれば知りませんが、善と悪とは光と影の関係ですから、どちらもあるのが当然です。というか、悪つまり影を書かないと、善つまり光が表現できない。印象派の絵がそれをよく表しています。つまり善を際立たせるために悪は必要なんです。

差別語の自主規制は、ほんとうにおかしい。小説は悪いことも書くのですから、悪い言葉も残しておかねばなりません。人の世には善も悪も混然とあるはずなのに、悪いことを認めようとしない do-gooder は困りますからね。私はむしろ do-bader になりたい。そんな英語ないんですよ。私の造語。それにこの場合は「d」は一つでいいのかしら。二つにした方が適当なんじゃないかと思いますけど、どなたか教えて下さい（笑）。

誰もが善人でいい人を装っていては、どんどん世の中が平板になっていきます。人間というものは善悪両面で成り立っていて、善の要素がないのが悪魔、悪の要素がないのが神だとすれば、どちらも私たち人間の手に負えるものではないのです。

マスコミの報道がつまらなくなったのも、どこを見ても型押しビスケットみたいに同じだからで、最近は退屈を通り越してもはや理解の外です。世間なり、人間についてもう少しまともに考えたら、善かったり悪かったりするのが当り前であって、善悪の間にこそ人間の性質があるはずです。政治資金でも相撲の八百長でも、何かあるたびに白黒つけろと叩き続けるだけでは、幼稚化はエスカレートする一方です。

欧米社会でもそういう所はありますが、アラブでは比較的それが感じられません。以前、『アラブの格言』（新潮新書）をまとめた時にしみじみ感じたのは、彼らが人間のいいかげんさを拾い上げて、人間性発見とその結果としての笑いの種にしていることでした。「他人を信じるな。自分も信じるな」というように、いい意味で、人間の善悪両方をしっかり捉えています。

日本人はもう少し「よくわからない人間」がいてもいいし、「人間はわからないものだ」と思うべきなのです。その人が善いのか悪いのか、けちなのか気前がいいのかもわからないが、たとえば、どうしても天丼が食べたいと言うならご馳走してもいい気がするのに、「自分はいい人だから、天丼をおごってくれ」と言われると私はお断りですね。

二〇一一年春、マダガスカルへ医師を派遣するためのロジスティックス（物資の輸送管理）をしました。普通は三十代ぐらいの人がやる役目でしょう。八十歳でやれる仕事でもないのですが、それは別として、この仕事の基本は「相手は悪い」と思うこと。でないと物資をなくさないという用心はできません。

例えば、飛行機で荷物を積み替える時、医療器具の一部に積み残しがあると、手術は事実上できないんです。乗り継ぎをする度に、すべての荷物が揃って載せられたかどうかを執拗に確認するのは、相手が善い人でなく悪い人、有能ではなく能無しだと仮定する必要があるからです。

私は五十歳の時に初めてサハラに行って以来、ずっとそうして来ました。荷物が着いていると「やった！」と万歳して笑われたりしますが、アフリカでは荷物が一つや二つ、届かなくて当り前です。車一台借りるのでも、天候の変化はもちろん、途中で政変の前兆があれば何箇所で検問があるかまで、最悪の想定だけ重ねて行く必要がある。

要するに、ものは考えようで、私は昔から、いつも悪いことだけ想定して生きて来ました。ところがそう思っていると、たいていの場合は何かいいことがあって、足し算で考えられるから、幸せを感じる。悪い想定で悲観するだけでもなく、幸運を期待するだけでもなく、その両方が要るということです。

修羅場が人を育てる

ありあまる情報が、精神力が脆弱な人間を作り出すようになりました。若いのに外に出たがらない、就職してもすぐに異動や転職を言い出す。かと思うと競争相手とさえ、同じ意見になりたがる。出版業界でも過酷な週刊誌より文芸を希望する編集者が多いと聞きますが、作家の一人として言うなら、文芸が優雅なわけでもないし、どうしてこんな辛気《しんき》臭い仕事がいいのかな、とも思います。端的に言うなら、修羅場を経てこそ得られる耐性、精神的な強さからどんどん遠ざかろうとしているのだろうと思います。

同年代の人たちと話をしていると、私たちの世代は「筋金入り」なのかなあ、と思いますよ。それは、お金がなくても生きていられるだろう、と思えるからです。アフリカでは、お金も食べ物もない状況は当り前にありますが、そういう状況に置かれたらどうするか。答えは簡単で、恵んでもらうか、ちょっと盗むしかありません。もちろん盗みは良くないことですが、飢え死にするぐらいなら、誰かの家の裏の干しシイタケでもアジの開きでも失敬するより仕方がない、私はそう考えます。

もう一つの手段は、恥も外聞もなく乞食をすることです。「乞食」と書くと、新聞社も出版社もすぐに削るように言ってきます。しかし、食えるか食えないか、生きるか死ぬかという状態だから「旦那さん、お恵みを」と食を乞うのであって、そうした行為を差別だというのは、世の中の現実を見ようとしない貴族趣味でしかありません。世界中の多くの国で、乞食はれっきとした生業なのです。

私は東京大空襲の頃、次の瞬間には死ぬかもしれないと思う夜を幾晩も過ごしました。B29が自分の頭上に入ってくる時の音には、特別な響きがあります。もしそこで爆弾が落とされたら即死するわけですから。実際、私の家の近所にも爆弾の直撃を受けて、子供を数人含む一家全員が全滅した家がありました。

明日の朝にはもう自分はこの世にいないかもしれない、そう考え続けるうち、精神的に弱かった私は砲弾神経症になりました。前線の兵士がかかるシェル・ショックらしいですね。食事も喉を通らず、口も利けなくなりました。どうやって治ったのかも覚えていませんが、母の話では、一週間ぐらいで元に戻ったそうです。

当時は子供でも十キロや十五キロの荷物を背負い、何キロも歩かされました。空襲の夜は、火に追われて何キロも歩いたことがあったので、穏やかな気分で横になれる大地さえあればありがたかった。もし板の上や床の上なら天国だと思っていましたが、今では大半の人がちゃんとした寝床以外の地面の上なんかには寝られないと言います。八十歳の老人が、いざとなれば何とでもなる、そう思えることが若い人たちには恐怖でしかないようです。

日本人は精神がひ弱になった、と言われて久しくたちます。私は縁あって日本財団で会長を十年近く勤めましたが、笹川良一さんが会長の時代は、職員に競艇選手と同じように本栖湖で合宿をさせて訓練をしていました。冬は零下になるほどの寒さの中で訓練を受けた世代の人たちは、仕事に対する厳しさが違っていました。

あえて非日常的な環境の中に身を置くような訓練は、海上保安庁の特殊救難隊や陸上自衛隊のレンジャー部隊にもありますが、そうした経験は絶対に必要だと私は思っています。

修羅場を乗り越えた経験がないと、人間としての脆さがついて廻ります。危険を怖れて何も体験させずに安全の中に囲い込むのは、ある意味で実にかわいそうですね。

前にアフリカへ医師を送ろうとした時、反対されてうまく行かなかったことがあるんです。反対するのは一向にかまわないのですが、その理由が「もし何かあって医者や患者が死んだらどうするか」というものでした。当然、可能性としては途中で飛行機が墜落することもあります。「五千万でも一億でも、そのための保険をかけるわけですが」と言うと、「それでも彼の奥さんが、いや奥さんが納得されても子供さんが訴えたらどうしましょう。さらに患者が死んで訴えられたらどうするんですか」と言う。いくら話し合っても埒《らち》があかないので現地のシスターに伝えましたが、理解できない様子でした。「訴える？　こちらでは一度もそんな経験ありません。みんな、一生懸命やって下さいました、ありがとうございました、と感謝してくれて、遺体を白布で包んで埋葬場所へ送ってあげると、また御礼を重ねられるものですが……」

現実問題として、どこの国でも金銭補償を求められたら現地の常識に従って補償するより仕方がないでしょう。現地の相場に従って……。私は最終的に「訴えられたとしても、その時はその時で考えます」と伝えました。

三、四千万円かけて校舎を建てるのと比べて、医師の派遣費用はもう少し少くて済みます。私の携わっている海外邦人宣教者活動援助後援会（ＪＯＭＡＳ）はかなりの内部留保があります。一つの事業を引き受けてから、そのために募金をするのではなくて、既に持っているお金の中で確実に実現できそうなことをする、というやり方ですから。それに年間七、八千万円の寄附をいただきますから、その分はきちんと人の役に立てなくてはならない。リスクをすべて回避して預金通帳を眺めているだけでは、寄附された方々に申し訳が立ちません。

我が身に困ったことが降りかからなければいい、ということになると、何もしないのが一番で、何もしない限りは安泰、という判断になります。人生はいつもある程度の危険と引き換えにして、初めて何かを得られると私は思っているんです。もっともこういう見方を人に押しつける気持ちは全くありません。これは生き方の趣味の問題ですから。ただ、すべてのものには対価を支払わなければならない、というのは私の基本的な考え方ですね。

もし私が他人より多少は面白い人生を送ってきたとするなら、それは危険を冒してきたからです。それも、自分なりに考えて対処してきたささやかなリスクであって、世間的に大したものではありません。

例えば、アフリカではマラリアに罹らないように、きちんと食べて、夜は早く寝る。食べすぎはそれだけ菌が多く体に入ることなので、アフリカにいる時だけ小食にする。帰ればすぐに大食にします。胃酸がよく効くように食前食中食後に水をあまりたくさん飲まないんです。ヒマさえあれば寝て免疫を落とさないようにする。ダニが繁殖しているホテルでは体中が痒くなって夜通し眠れなくなるので、食われたら早目に抗ヒスタミン剤を飲む。じんましんで不眠が誘発されると、マラリアが出やすくなるからです。

人間はどれだけ文明のお世話になるとしても、自力で生きるしかありません。始終それればかり考えてはいられないとしても、もともとこの世は危険と煩わしさと抱き合わせですからね。私は時々それと向き合うことでその都度、何かしら大事なことを教えてもらいました。でも最近は、いかなるリスクも不便も避けるという人が多くなりましたね。そういう人は自分の趣味を通していいんですけど、「虎穴に入らずんば虎子を得ず」という言葉の通り、何も対価を払わずにこの世では何もおもしろいことはできないというのが、私の実感なんです。

第六章　ほんとうの教養

穏やかに本質を突いた人々

一九七五年、私は日中国交回復後初めての文化使節団に加わり、中国を訪れました。それまでは外国からの視察や交流のほとんどが中国政府のヒモ付き同然で、中国の悪口を言うなど考えられない時代でした。日本の作家たちも、たくさんの人たちが中国政府の招待で、向うでいい生活を経験したようです。そういう人たちは、中国共産党、一党独裁で人民の自由を弾圧し続けている中国について何も書きませんでした。私の場合、日本政府が国費で派遣して下さるというので、参加することにしたのです。お世話になるなら、日本国家の方がいいですから。

メンバーは団長が中国文学者の吉川幸次郎さん、他に作家の石川淳さん、文芸評論家の山本健吉さんと中村光夫さん、社会人類学者の中根千枝さん、国際政治学者の衛藤瀋吉さんなど、駆け出しの物書きだった私から見たら、錚々《そうそう》たる面々ばかりでした。

ある時北京市内をバスで移動していたら、石川さんが向こうの日本語通訳に不意にこう言いました。

「この辺に昔、遊郭がありましたな」

「いえ先生、今の中国にはそのようなものは――」

慌てる通訳に動じる様子もなく、石川さんは続けたのです。

「なあに、場末に行けばあるでしょうよ」

その時「ばずえ」と発音なさったことが印象的でした。私は本当に、この動じない姿勢に打たれていました。

その後一行は、人民大会堂で実力者の鄧小平氏と会見することになっていましたが、旅行直前に中国旅行を独占的に仕切っていた旅行会社から届いたパンフレットには「目下の中国は厳しい建国の途次にあり、我々日本人も質素に振舞うように――」云々と記されていた。私は日本国民ですから、そんな思想的指導を受けるいわれはないと思って、その場でカバンの中身を、派手な、「資本主義的」な服に詰め換えたんです。とは言っても、私は大したものは持っていなかったんですけどね。

人民大会堂に招かれた時も、私は日本人ですから、きちんと綸子《りんず》にちょっと刺繍もある着物を着て行ったところ、当時の日本大使の夫人が喜んで下さいました。

「何も日本人が人民大会堂で卑屈になる必要などないのです。あなたが初めて日本人の正装で来た人よ」

会見では、片方の耳が悪い鄧小平氏は体を少し傾け、足元の痰壺にしきりに痰を吐くんです。「カァーッ、ペッ」という感じですよ。それが見事なほど百発百中なのに私は本当に感心してしまって、ろくに話も聞いていませんでしたが、山本健吉さんがこんな質問をしました。

「中国では『白毛女』をいまだに上演しているそうですが、いったいなぜですか」

「白毛女」は中国共産党を賛美する歌劇で、文化大革命の間も各地で上演されていた、いわばアジ演劇みたいなものです。通訳を介した鄧氏の答えは「今度調べてから、返事をしましょう」という紋切り型でしたが、中国語に堪能な吉川さんや衛藤さんが、笑いを堪《こら》えたような様子で教えてくれました。

「何、まだあんな下らない芝居をやっているのか、だって」

私はそれを聞いて、軽薄にも鄧氏のファンになりかけました。

日中の作家が話し会う場で「何でも質問して下さい」といわれ、中国について大して知識もないものですから、こんな質問をしました。

「（文化大革命から始まった）非孔非林運動というのは、孔子や儒教を思想や文学として全面否定するということですか。それとも部分的に或る部分がいけないのですか?」

すると向こうのペンクラブ会長は、周囲の人の顔を見廻しながら言うんです。

「孔子は全部否定します。私たち中国の作家は、労働者、農民、兵士たちに相談して筋を決めます」

それで私は思わずその場で言い返したんです。

「日本では、そういうものは文学ではなくて、宣伝文書と言うんですけど」

すごい顔で睨まれたようですよ。近視の私にはよく見えませんでしたけど。

さらに「最近、北京大学の池端にある柳がゆらめく様を『病いを得た女のように』と表現した作家がいたが、そういう退廃的な表現はよくない」と会長は言うんです。それで私は「作者の気持ちをあらわした、いい表現ではないですか」と言ったら、ますます睨まれました。

その当時中国のショーウィンドウだった人民公社で、一通り家の内外を見学させてもらった時は、同行の農政経済学の先生が笑いながらこう言いました。

「曽野さん、ラジオはあっても鳴らしてはみなかったでしょう」

土産物屋に連れて行かれた後では、

「翡翠（中国の宝石）なんて、置いていないでしょう。皆、政府に供出しないで、家のどこかに埋めてあるんですよ」

日本の新聞記者といえども、北京の機嫌をとるためなら、同胞の陰口一つでも党幹部に御注進していた時代です。聞かせる会話が中心になる公的な場ではさりげなく、大声でもなく、ふんわり抵抗する。私みたいにいちいち怒るのではなく、実に穏やかに本質を見ることを、この先生に教えてもらいました。


「昨日のことを今日の目で見ない」

少し前に阿川弘之さんが、こんな話をされています。

「『雲の墓標』に書いた特攻たちは、人間性を踏みにじられながら、あえて命令通り突っ込んでいった。そんな連中のことはやっぱり忘れられないですね。思い浮かべると変な気持ちになりますね」「……昨日のことを今日の目で見てはいけません。あの時代だから並大抵のことではありません」（「読売新聞」二〇一一年一月一一日朝刊）

戦争中、特攻によって国が救われるものでないと知りつつも、若い士官たちが捨て身になって死んでいきました。彼らの死の上に今の日本があるのは事実なんです。その時のことを、その時に戻してどこまで深く他者を思いやれるかどうか。「思いやる」とは安っぽい同情の意味ではなく、英語で言うところの compassion、つまり思いやり、自分自身が本当に他者の立場になって考える姿勢のことですが、それができているというケースは、めったにありませんね。

できる人には、しっかりした個があるはずです。個は失ってはいけないけれど、他者をぶっつぶしてはいけないんですね。

戦争中、兵役を拒否すれば憲兵に捕まって村八分の目に遇う。ならばどうするか。私も当時の状況について詳しくありませんが、できることならそうした知識をも含めて、自分自身の反応を考えられるようでありたいと思っています。人間である以上、妥協もあれば裏切りもあり得るはずですが、一方では自分の命を捨てて国に殉じることもできる。正直言って私自身、同じ状況に置かれたらどう行動するか全くわかりません。多分、卑怯者の行動を取るでしょうね。それが絶対多数の生き方だったんですから。

戦争の中では、実にいろんな死に方があります。

沖縄戦さなかの昭和二十年六月、制空権も軍備も食糧も圧倒的にアメリカが優勢で、日本人はボロボロの状態で、負傷者は洞窟の中で半ば捨てられたようになっていました。運が良ければ最期には致死量のモルヒネを与えられますが、致死量には個人差があって古くなると薬効が薄れるため、死ぬか生きるかも定かではない。死んでしまう人もいればぐっすり眠って気がついたらアメリカ軍の病院にいた、という人もいたんです。

アメリカ兵は食糧も爆薬も充分持っていますから余裕綽綽《しゃくしゃく》、日本人は飢え死にを待つしかない、そんな状況下で、その頃には一般人でも手榴弾を持っていました。民間人に手榴弾を下さいと言われると、それは多分自決用ですからね。「いかん、絶対に死んではならん」と言って拒む兵士もいたし、女性を哀れんで自爆用の手榴弾を手渡した兵士もいました。

何が何でも生き抜いて戦後の祖国を生きてほしいという願い、「鬼畜米英」の手にかかって陵辱されるぐらいなら死んだ方がましだという考え。本当に「愛の形」というのは当時さまざまだったんです。

ですから、時代も状況もまるで違う現代の人が「軍の命令で死を強制した」と言って非難するのは物知らずで、「昨日のことを今日の目で見て」いることに他なりません。

その一方では、こんな話もありました。日本兵は常に二発の手榴弾を身につけていて、一つは自決用、もう一つは敵に向かって投げる最後の一撃のためのものです。それで戦局を変えられるというものではないんですけどね。それが日本人というものか、それとも戦いの本質なんでしょうね。一方、米兵の方は一〇〇パーセント勝戦の状態の中で、ちょっとした緊みの中から突然投げられて、自分の足元に転がってくる手榴弾を投げ返すいとまもなく、やられてしまいます。

しかしその瞬間、手榴弾の上に身を投げかけて死んだアメリカの海兵隊員が何人かいたんです。十八、九歳の若者もいたはずですが、戦争に勝って、もうすぐ故郷の家に生きて帰れるという時に、なぜ彼は手榴弾の上に身を投げかけて死んだのか、取材当時、私はそのことをずいぶん考えたものです。

彼の咄嗟《とっさ》の行動によって仲間の何人かが命を救われた。けれど何が彼をして、一秒にも満たない間に人生を終えることを決めさせたのか。父母、学校、教会、誰も「そういう状況になったら、傍にいる他人を救うためにお前は死になさい」と教えてきたとは思えません。

しかし、それこそが一人一人の人間の芯というものでしょうね。足元に転がる手榴弾を見て自分ならどうするか。仲間が傷ついても構わないから、とにかく逃げようとするだろうか。私自身その可能性は大いにありますが、そういう場面での人間の行動について考えることが個々人にとって大切だと思います。

近年、しっかりした芯を持つ日本人が少なくなりました。芯を常識と置き換えるなら、高級なものから低級なものまでさまざまですが、戦後教育は、彼らが国のために死んだのも軍部の暴走への加担であり、これからは他者のために死んではいけない、という利己的な考え方だけを植えつけたんです。

アナクロニズムの二つの面

アナクロニズムは、日本では時代錯誤とか時代遅れという意味で使われますが、もともと英語の「anachronism」には、歴史というものに対する無知、という意味があります。つまり何かことが起きたその当時、どういう社会的、心理的状態が人々を支配していたのか、よくよく考えないことです。

小説を書いていると、アナクロニズムには時系列的なものと、平面的なものと二つある気がします。例えば「どの国がいつどこに侵攻したか」、「どの部隊が何という船に乗って、何日後にどこへ向かったか」というのが時系列、それから「ある兵士が甲板の上で寝ていたら、上官に意地悪されて窮屈な所へ移された」というのが平面的なものです。

少し前に小説の雑誌に、コンゴのキクウィトで起こったエボラ出血熱の話を書きました。現地の人たちに取材すると、病人の様子など平面的なことは見て知っていても、いつ何人が発病して、何日後にCDC（アメリカ疾病予防管理センター）が職員を派遣して病毒を持ち帰り、その結果が出たのはいつか、という時系列的なことは現地の人はほとんどわかっていないんです。

その時代、その場所に身を置くことがいかにむずかしいか、かといって総体ばかり書いていたのでは小説にはなりません。それは報告書であり、時には史実でしょうけれど、その現場の中心にいると人間はかえって総体が見えないのが普通です。上から俯瞰した視線で他人を裁いたり、資料を考証したりするのは歴史学者の仕事ではあっても、本来の小説家の仕事ではない。小説の中で体験する人生というのは、ある意味でとても細く狭いものですが、それだけに明確な自分のレンズで見る必要がある。小説を書く時は、その時その場所にいた人間になろうとしますが、そこがとてもむずかしいのです。

広島の原爆でも、被爆者のその時、その場所での記憶というのは「ご飯を炊いていなくてお母さんに怒られ、泣きながら家を出たらいつものバスに乗り遅れて、ああ、また叱られるなと思っていたら、突然ピカッと辺りが明るくなって、ドンッ！――」、といったような記述になるんですね。

広島の中学一年生の一クラスが原爆投下から二週間ぐらいのうちに全滅していく様子をまとめた『いしぶみ』（広島テレビ放送）という本があります。爆発による灼熱の中で大勢の子が「お母さん、お母さん」と泣き叫び、その中で少し落ち着いた子が「泣くと体力を消耗するぞ」「川に飛び込め」などと声をかけるのですが、やがては同級生たちもその子も死んでいく――私は読むたびに貴重なドキュメントだと思います。

当時の私は中学二年生でしたが、自分自身の体験としては何もありません。「ピカドン」の全体像を知るには、どこまでいっても人の報告や記録を借りるしかないのですが、自分自身がアナクロニズムに陥ることを避けながら、いかにして想像力を働かせながら歴史の中で起きたことを見るかにいつも苦労しています。

教養とは肝の据わり方

藤原正彦さんはイギリスで研究生活を送った経験から、イギリス人がいかに執拗かつ陰険に相手の教養を試そうとするか、よくご存知です。藤原さんによると、イギリスの政治家は背負っているものが日本とはまるで違うといいます。政界では実力もはったりも必要ですが、政治力だけでなく教養がなければ絶対に認められない。そこが大きな違いだそうです。

近年、国際会議のような場で評価される日本の政治家がいなくなりました。日本では「いい人」で済みますが、そういう場に出ると単に無教養で無個性な人としか思われない場合が多い。私は昔、大学で、最低限、英語で暮らす人々の間で教養と言われるものが何であるか教わったんです。英文学の主なサワリの所を、英語で言えるとかギリシャ神話の知識とかね。私はあまり身につきませんでしたが、やっぱり要ることもあるんでしょう。

しかも、外国人から見たら日本の政治家たちは皆同じような顔をしていて頻繁に交代するから覚えられないそうですね。少くとも首脳会談で相手の顔も見ずにペーパーに目を落としていたのでは、「外務大臣」や「総理大臣」の着ぐるみを着ているようなもので、中身は誰であっても同じです。

私の数少い体験からですが、他の国々の要人からその存在を覚えられたり、一目置かれるかどうかは、ワーキングディナーやコーヒーブレイク、あるいは席について会議が始まるまでのほんの短い立ち話の間に、ちらっと話すことで決まるのだと思います。別にシェイクスピアの一節を持ち出さないまでも、適切な時に適切な言葉で、国際会議に伴う場であればその常識を当然に踏まえた上で、自分らしい表現ができるかどうかが教養なんです。

かつての漢文素読や詩の暗唱は、繰り返し強制的に覚えさせられたからこそ、ある瞬間にぱっと口を突いて出てきます。教育の場で、作文は自分の思ったとおりに書きなさいと言う人がいますが、やはり最初は文章の基本から身につける必要があり、最初から型に嵌《は》めてはいけない、暗記は馬鹿げている、というのは間違っています。叩き込まれた基本があるからこそ、やがて他人の表現を借りるだけではなく、自分の表現をしてみたいと考えるようになるのです。

その方法に標準などありませんが、言うなれば自分の刃物と自分の捌《さば》き方とを持っていて、機に応じて人生を料理してみせる時、相手は敬意を払わざるを得ないのです。

教養とはもしかすると、その人間の肝の据わり方だともいえます。他人にどう思われようと、自分は自分なのだという強烈な個を備えながら、大切なことを静かに語れる。肝の据わったひと言、古今の哲学者の言葉、真を突いて笑わざるを得ないようなユーモアなど、ふとした時に垣間見せる、人間総体としての教養と魅力というものは確かにあります。そしてそれは天性の素質と、勉強によって後天的に取り入れられたものとの二つの要素の果実なんです。

国会での質問や答弁にせよ、会社の中の意見の対立にせよ、分野や年代性別を問わず社会全体から個性とユーモアが消えて、つまらない理屈ばかりになって来ましたね。自分の考えばかり声高に言うのは無教養というより野暮ですね。今日野暮なんて言葉は、あまり誰も使いませんが、野暮はほんとに野暮で、人がつき合いたくなくなる神経なんです。

そもそも相手の何かを批判する時は、翻って自分の中にも同じものが含まれていることを理解する必要があるのです。それが自分を笑いものにできるユーモアに通じるんですから。

ユーモアとは人間の真実をとらえた瞬間の笑いであって、人間はあまりに本当のことを言われると、つい笑ってしまうものです。その伝統は川柳などにかろうじて生きていますが、最近はお笑い芸人の馬鹿話と勘違いされてしまっています。

真実を見る、というのはまず自分をきっちり見ることです。自分を見つめていればこそユーモアが生まれるのに、そうならないのは幼稚な証拠、つまり真実を見抜く力もないし、人間というものに対するごく一般的な恐れや同感のない証拠です。

若い女性が、モデルみたいに瘦せて背が高くなりたい、そう思うのは一向にかまいませんが、モデルのようではないからといって自信を失う理由がない。ならば一体どうしてほしいのか、哀れんでほしいのか、お追従の一つでも言ってほしいのか——前にもふれたように、もともと人間は生まれ持っているものが平等でも同じでもない、違うことに意味があるのに、その点がわかっていないから、ますます魅力のない平凡な人間になってしまう。

自分に自信がない、という若者の比率は日本人が圧倒的に高いそうですが、過不足ない自分を認めるのは、プラスの面だけでなくマイナス面も認めるということです。過不足なく自分を語ることが大切なのにそれができないというのは、幽霊が恐らく自分を語れないようなものですよ。

過不足なく自分を語ることは、作文能力とも関係しています。作文は、自分が何をどう感じ取ったかを書く訓練ですから、それに対して他人がどう思うかという葛藤なり、衝突なりが伴います。それで褒められることもあれば、貶《おとし》められたり、馬鹿にされたりもするわけですが、他者を通した結果を受け止めることで、自分を見つめることができる胆力も鍛えられます。作文能力、表現力というのは、一種の武器なんですよ。武道と同じように。それをちゃんと教えない教育、教えられない先生たちというのは、困ったものです。

そもそも自分は美人でないからといって、悲観することなどないのです。ある時、私の知人がおもしろいことを言うんです。

「女房にするならブスに限りますな。だってそうしたら外に出れば皆美人ですから、楽しくて仕方がないじゃないですか」

この言葉にはユーモアと優しさと、ちょっと怖いような視線があります。しかし、美人の奥さんの傍《かたわ》らで始終家にいるより、女房が美人でないばかりに陽気で家事がうまくて賢かったら、ほんとに「もうけもの」ですからね。家庭としては幸せなんですよ。これは一つの例えにすぎませんが、やはり世の中は表面的な一事をもって悲観も楽観もできないことばかりです。

人間の考えでは及びもつかないこと、それは神か仏の仕業かわかりませんが、見方によってはずいぶんと運命というものは意地悪なんだな、と思うことがあります。良く思えることでも、そうは思えないことでも、その裏には本当にさまざまな物語の展開がある。それを自分なりに考えてみるのが想像する力というものです。「裏がある」と言うと悪く受け取られがちですが、裏があった方が絶対に面白い。セーターや上着など、質のいい上等のものは裏地があって手が通しやすいけれど、一枚ものはどうも突っかかって着心地がよくないように、何事にも誰にも裏というものがあり、その方がいいのです。人として生きて行く以上、自分には裏表がある、という自覚が必要です。そして、裏表があると認めることが意外なことに「愛」なのです。

愛、と言うと日本ではどうも甘ったるい響きがありますが、キリスト教が教える愛は全く別物です。聖書に出て来る愛には二つの原語があって、一つは「フィリア」で、人それぞれの好悪の感情の結果、好きだと思えるもののことです。余談ですが、フィリップスという名前は、フィリア（好き）とヒッポス（馬）を結びつけたもの、つまりhorse-lover（馬好きな人）という意味になります。

しかし聖書の言うほんとうの愛は、決して感情的に好きになることではない。聖書が使う本当の愛には、別の「アガペー」という言葉が使われていて、「汝の敵を愛しなさい」と教える時の愛です。つまり感情としては憎んでいたとしても、理性によって愛しているのと同じ行動がとれることを指します。つまり意志の力で、裏表のある人間として敵を愛しなさい、ということです。

例えば、戦争で敵の兵士が虫の息で倒れていたら、もう一発撃ってとどめを刺すのではなく、赤十字に手渡して傷病捕虜として収容させる。それは憎いという感情を超えて、理性でもって愛する行為を取ることなんです。その悲痛な選択というものだけが本物の愛だということになっています。たとえその場においては敵であっても、故郷には妻子もいれば生還を待っている母親もいるだろう。だからこそ、あえて感情を制して理性で彼を生かして帰してやることを考える。日本的に言えば惻隠の情を持つこと、それこそが本当の愛だと教えているのです。

日本では、理性でもって自分の心になくても敵を愛するというところまでは教えられません。ただ、みんないい子だから、みんなを好きにならなくてはいけない、というばかりです。しかし現実には、皆いい子じゃありませんからね。そこには大人が考えるに足る複雑な感情と理性、人間としてぎりぎりの判断というものが欠落しているから、心にしみ通らないいんです。

感情のままの盲目的な愛、平板で単眼的な愛というのは、一面では大人のものではない。歌舞伎の演目の中で「勧進帳」が私は大好きです。頼朝の追手から逃げる義経と弁慶が、安宅《あたか》の関で足止めされ、山伏に扮した弁慶は主君の命を救うためにあえて激しく義経を打つ。事情を知った関守の、二人に関を越えさせる「山伏問答」の場面には、裏も表もある人間だからこそ持ちうる敵への愛がある。それが国籍を問わず人びとの心を今日的にうつんです。「勧進帳」はベルリンの壁の悲しみと通じているんですね。

同じように、ミュージカルの「サウンド・オブ・ミュージック」は、ナチスに与《くみ》するより人間として地位も財産も失って生きることを選ぶ男と、彼の一家の国境脱出劇です。権力の指示通りに亡命者を捕らえようとする人もいれば、危険は承知のうえで何とか逃そうと手を貸す人もいる。そしてついに追手から逃れ「ここがスイス！」と叫ぶ。クライマックスシーンまでの人間の表も裏もふまえた見事な筋立てがあるからこそ、今でも世界中で人気がある名作なのです。

世間の機微を知る

私はよく知り合いに「おそうざいですが、食べにいらして下さい」と声をかけます。母の時代は塩鮭なんか人様に差し上げられない、お誘いするならビフテキぐらい出さなければ、という感じがあったもんなんですが、私はめざしと切り干し大根の煮物、味噌汁に漬物ぐらいで友達を呼びますから、本当に「おそうざいですが食べにいらして」という思いなんです。

最近は普通の家庭での食卓の意味の重さがなくなって来たんだそうですね。お父さんは残業で、子供は塾通いで、一家揃っての食卓という時間が取れなくなって来た。それに、マンション住まいが増えて、キッチンに最低限の備えしかないことだけでなく、他人を食事に呼ばなくなったこととも関わりがあるようです。

電子レンジが出たばかりの頃、「和洋中チン3回で出来上がり」というどなたかの川柳の名作がありましたが、今はそれさえ懐かしいぐらいです。少し前なら、せめて見栄えがいいように買って来たお惣菜をうちの皿に移し替えて出していたのが、今ではプラスチックの容器に入ったままで食卓に並べられ、食べ終わったらそのまま捨てられる光景が多くなりました。

私は子供の時に学校で外国人のシスターから、テーブルマナーを厳しくしつけられたんです。スープを音を立てて飲んではいけない。お皿を持ち上げてはいけない。手首まではならテーブルに載せてもいいけれど、それより肘の方までテーブル面につけたら、肘をついて食べていることになる、とかね。それがあんまりかたくるしいんで、今ではわざと時々肘をついてラーメンを食べてみたりしてもいますけど。一人の時にね。

少し正式なものになると両隣には知らない人が座り、紹介はされてもどういう人か皆目わからない。時には外国人で、黙って食べてはいけない。必ず適当な会話を続けなければいけないんですから、疲れる時もあります。「横飯」という言葉があるくらいですから、英語の達者な人でも外国語で喋りながらご飯を食べるのは苦痛なんでしょう。

それでも両側の他人と話をすることが教養の程度を表しますから、いろいろ手を考えるんです。まず質問すればいいんですね。「リーマンショックの原因は、どういうことだったんですか？　私は小説家でさっぱりわからないので――」と言えば隣の席の銀行家は丁寧に長々と説明してくれて、私は半分も飲み込めないまま「今おっしゃったその言葉は、どういう意味で使われているんですか」などと話を継いで時間を稼ぐわけです。

動物同士なら気づかい無用ですが、人間社会では気をつかうことが生きることなんでしょうね。とりわけ西洋のテーブルマナーは虚偽的ですから、両脇の異性の片方が若い美女でもう一方がおばあさんだったら、内心は片方だけ向いていたくても、そこは計算して半分ずつ話すようにする。若くて美しい人だけではなく、年寄りも弱い者も同じように生かそうとするわけですから、やはり総合的な人間性が要りますね。そこには抑制というか一つの選択が仕組まれていて、それが教養と見なされる。美人でなくても「会話美人」というのはあるんですよ。

エステやアンチエイジングに一生懸命な奥様方はたくさんいます。けれど、どれだけお肌の手入れに熱中しても、年は必ず取りますから見た目の若さでは、いつか必ず無理になるでしょうね。或いは、九十歳になっても本当に三十歳のままだったら不気味ですね。妖婆ですよ。中年以後に台所も食卓もコミュニケーションもでたらめでは、若さの代りになるものを何も用意していないことになります。月に一冊の本も読まないのでは、近い将来、馬鹿みたいな老人になることは目に見えています。

何も博識になりなさい、というのではありません。ただ、人間、食べて生きているだけで、魂に食料を与えないとダメなんですね。私が時々見ている衛星放送の番組で、家事ができない妻を教育するという企画があって、最初は何から何までぐちゃぐちゃな家の中で、夫が「どうかな、少しは良くなりますか」なんてため息をついている。すると先生役の女性は妻にアドバイスしながら段取りよく片付けさせていって、最後はホームパーティーを開くところまでやらせます。これは単純な段階で動物が人間になる過程を記録したものです。

他人を食事に招くのは結構大変なもので、どの料理をどういう器に盛って、部屋をどう飾ってどんな雰囲気を作るか、本格的にやればなかなか手がかかります。それでもひと時、食事を共にしながら架空の世界を作ることで、隣人とつながりを持つことに意味があるのです。意識して場を作り、知っていることも知らないことも相手にさらけ出す中で「ああ、この人はそういうことに興味があるのか」という心理の発見がありますから。知らないことを知るのが教養の始まりですから「知らない」と言えれば便利なもので、私などは他の人に聞くことで、人生の時間を稼いできたようなものです。

教養の本質というのは、かつての旧制高校のように多くの本を読み談論風発することでも、芸術や古典の知識に秀でることだけでもありません。人間の営みの総合としての世間、人の心の機微を知っていることだと私は思います。機微というのは、あらゆる人のあらゆる端っこや出っ張りを削除して形作られてきた、ある意味での人間の知恵なのです。

私が子供の頃、時々家の不具合を直しにきてくれる大工さんがいて、仕事が片付くと母は冷や酒を出しながら「こちらへ来て召し上がれ」と声をかけます。でも大工さんはいつも「ここがいい」と内玄関に腰掛けて、それ以上は遠慮して上がろうとはしませんでした。私はその時間を待っていて、彼の前に座って話を聞いていましたが、五歳ぐらいでは話し相手にもなりません。それでも大工さんは半分からかいながらでも、一生懸命、私に色々な話をしてくれました。冷酒一杯を飲み終るまでのその短い時間が、私は大好きでした。

産経新聞の私の担当だった記者が少し前に亡くなりましたが、息子さんの話によると、お父さんは若い頃しょっちゅう同僚の新聞記者を連れてきて、お酒を飲みながら遅くまで色々な話をしていたそうです。狭い部屋での雑魚寝《ざこね》はいつものこと、急な来客に酒食をこしらえる奥さんはたいへんだったと思います。けれども子供の頃の自分にとって、よそのおじさんたちに遊んでもらったり、大の読書家の父親がさまざまな話をしたりしているのを横で聴いている時間はとりわけ楽しかったといいます。

どこか印象的な方だとは思っていましたが、亡くなるまでそういう一面があることは知りませんでした。自分の家でも赤提灯でもいい、仕事上の義務でもなければ、相手に気に入られるためにするのでもない。しかしそうして年長者が年下の者に、上役が部下に、仕事に限らずさまざまな話をすることで世間の機微を伝えていくのは、人間社会にとって大事なことです。

かつては学者や教師でなくても、折にふれて世間というものを教えてくれる人たちがいました。近頃は大人が若者に奢《おご》らない世の中になりましたが、ほんとうは大人はもっともっと奢らなくてはなりません。

第七章　老・病・死を見すえる

何かしらプロダクティブに

先日、刀工のもとに弟子入りした若い娘さんの生活をテレビで目にしました。女性の年齢や職人志願は何人いるのか、詳しい内容は覚えていませんが、ほとんど後継者のいない工房で、研師《とぎし》が錆《さび》だらけの刃物を渡して錆落としから始めさせる様子が描かれていました。

私はそれを見て、ほんとうは自分もそこに下働きに行きたいと考えていました。やはり最初は底辺から勉強しないといけませんから、自分の人生の残り時間がせいぜい五年か十年とすれば、とても研ぎ出しをするまでにも行かないでしょう。それでも粗い錆落としだけさせてもらうとか、バケツの水を換えるとか、手順を身につけるだけでもかまいません。許可がもらえるものなら入りたいものだ、しみじみそう思いました。

私は子供の時から、何も生産しないことが嫌いでした。だから今でも空いた土地を畑にして菜っ葉の種を撒《ま》いたり、壊れた道具は捨てて買い直すのではなく、直したり継いだりして使うのが好きなんです。

料理もその通りで、さあ美味しいものを作ろう、というより残り物をどうやってうまく使えるかを楽しんでいます。大抵は夫と二人きりですから、今日はすき焼きにしよう、と材料を買い揃えるのではなく、小間切れ肉の残りとあり合せの材料ですき焼き風に仕立ててみる。つまり、貧乏ではなくても貧乏性で、ケチと趣味が一致した一石二鳥ということです。

刀工は無理だとしても、もう少し時間ができたら陶器の直しを覚えたいと考えています。共継ぎや金継ぎの技術を身につけて、まず自分の家の壊れた陶器を直す。それから知り合いのお宅にしまいこまれている、口の欠けた土瓶などを直してさしあげる。陶器そのものを作る才能はなくても、剝げ落ちた塗りの直しぐらいなら喜んでできるようになるかもしれないと考えているんです。昔から強度の近視でしたから針仕事はさせてもらえませんでしたが、洋裁も覚えたかったと考えることがあります。

私は、年をとったら何も楽しみがなくなった、という話を聞くと不思議で仕方がありません。男性なら料理教室にでかけてちょっと綺麗な中年の奥さんとお友達になって、たまにはお茶を飲むぐらいしてもかまわない。毎日何もせずに家で寝転んでいるより、その程度のやましさは人間らしくてちょうどいいんじゃありませんか。

最近、若者ではなく老人たちが朝からゲームセンターに集まってメダルゲームに興じているそうですが、病院の待合室みたいに溜まり場にする感覚は理解に苦しみます。別に流行の通信教育を勧めるつもりはありませんが、どれだけ年を取っても、人間にとって好奇心は大切です。身の廻りのことでも、みみっちくてもいいから、人間は最後まで何かしらプロダクティブ（生産的）である方が、心が健康になりそうに思いますけどね。

刑務所を訪れると、囚人服を着た初老の人たちの一群が何をするでもなく、陽だまりの中に座って会話しているような光景に出会います。それが何か楽しいことでもあるかのように、私たちが出入りするのを、眺めているのです。彼らの多くは、出所しても行き場がないから、適当に悪さをしてすぐに戻ってくるリピーターで、老後を刑務所で送ると決めているといいます。三食付の老人クラブみたいな刑務所に多額の税金を投入するぐらいなら、尖閣諸島に移して住んでもらいたいですね。一人当りの米と干物を置いてくれば、少しは国の役に立つかもしれないのにね。私だったらそうしますよ。

生きることへの緊張感

以前、骨折した足の骨を繋《つな》いでいた金属をふたたび抜く手術を受けた時、二五センチぐらいの金属片を取り出すためには、やはり二五センチぐらいは切開しなければならないでしょう。別に重大な手術ではないと思いますけど、手術の後、私が一人で病室に運ばれた時、「あら、ご家族の方は誰もいないのですか?」と何度も聞かれました。私にすれば足に入れた釘をまた出してもらうだけのことですし、そもそも病院という場所は物質的な設備と人的な構造がしっかり作られていて、担当の看護師さんが何くれとなく手を貸してくれますから、付き添いなどいらないのです。

看護師の手を借りてベッドに移ってから、私は今の自分に何が必要か、考えたんです。呼び鈴《りん》の確認、ごみ捨て用の袋、飲み水用の小さなペットボトル、ティッシュを自分の手の届く所に置き、電気の使用法を一通り確認して読みたい本を近くに置きました。それだけできたら、そこから病室での自立が始まります。入院しても、何とか自分でやろうと緊張している義務があるんでしょうね。何か失敗があっても、いざとなればナースコールで「申し訳ありませんが……」と言えばいいだけのことです。

高齢者が骨折して入院すると呆《ぼ》ける、という話はよく耳にしますが、その最大の理由は病院任せになるからだろうと思います。自分は動かなくても、トイレはベッドの横に付いていて、身の廻りのことも看護師さんに頼りきり、その上家族の付き添いというのでは過保護にとどまらず、自分で考える機会まで奪ってしまいます。

本来は、骨折したその瞬間から自分でそれとどう戦うかを考え、自分に命じて働かせることはできるんです。そのあいだ医師は骨折と、私という患者は自分の呆けと戦う、それぞれの任務がはじまるんですね。

人間はどんな状況に置かれても、絶えず三～四時間、十二時間あるいは二十四時間ぐらいの単位で目標を立てているものです。例えば、夕食の献立を整えて食べて片付けを終えるまでの三～四時間、夕食後に入浴して就寝して翌朝までの十二時間、という具合です。病院は次の日の朝までの個人的な目標など立てさせてはくれませんが、病人は一時的に置かれた状況と身体の状況が変わっても同じ人間です。入院を特別なことのように考えて、ふだん通りに自動的に目標を立てることを放棄した途端に、老人は呆けてしまうのかもしれません。

人間、幾つになっても緊張感と危機感が必要です。戦争特派員みたいに泊まっているホテルが砲撃されるとか、取材中に銃弾に倒れるとか、そういう絵に描いたような危機の真っ只中になど誰もいません。が、生きることへの緊張感と危機感を失って暮らすことはありえないと思います。

死をみつめてこその自分

二十年ほど前に目を患った時、当時、ご健在だった宇宙物理学者の小田稔先生にこう言われました。

「曽野さんは、もう動物として生きる資格がないですね。視力がなくて餌が獲れなかったら、ライオンでも虎でも死ぬしかないんですから」

「ほんとのこと言うなぁ、この方は」と思いましたが、その後しばらくして、小田先生は私を慰めようとステーキをご馳走して下さった。その時先生は歯が弱くて総義歯だということがわかったんです。私は何だか嬉しくなって申し上げたんです。

「小田先生こそ生き延びられませんよ。私は餌が獲れなくても死肉にありつければ食べられるけど、歯がなかったらもう死ぬほかないんですから」

当時の私は目の前のものがほとんど見えず、手で触って推測するような失明同然の状態でしたが、二人で本当のことを言い合って、その時実に気持ちよく笑い合いましたよ。不幸と思われる時にも過保護でも不当にいたわることもなく、動物だったら生きる資格はない、という真実をはっきり語り合えたのです。しかし人間は立派に社会や家族に生かしてもらえる。大したもんです。そのおかげでとても謙虚になれたし、だからこそ、その後視力を取りもどした時に、私は本当に心から感謝して、私を助けて下さった方たちへのご恩返しのためにも普通に働かなくちゃ、と思ったもんです。人間はそういう人生の処し方、幸福を受け取る方法を身につける必要があると思います。

日本では、年をとって病気になったりして口から食べられなくなると、当り前のように胃に穴を開ける「胃瘻《いろう》」で栄養分を流し込みます。けれど、ものを食べなくなってやがて死ぬのは人間として自然な死に方ですから、そうまでして「食べさせる」必要はないでしょうね。

胃瘻以外にも延命のための医療技術はさまざまありますが、本人が本当に望んでいることなのか疑問ですから、普段から自分の希望をよく登録しておくといいですね。入院と同時にまだ呆けていない八十歳以上には全員に紙を配って、延命処置を希望するかどうかを書かせてはどうかとさえ思います。私自身はそれでかまわないし、変更したくなったら後で再申請できるようにすればいいだけのことです。

いずれ日本でも、安楽死が合法かどうかという議論が出てくるだろうと思います。スイスではすでに合法的に認められた組織があって、安楽死を望む人が国境近くで待っていると、迎えの車が来て、二時間程度で処置を終えて戻してくれるのだそうです。けれどその安楽死病院の話を聞いた時、あまりいい気持ちがしなかったのは、組織的に安楽死の処置をする前に何かすべきことがあるのでは、という違和感を覚えたからです。

昔の老人は死が近づくとものを食べなくなり、家族はそれを自然に受け容れていました。例えば、寝たきりのおばあちゃんが食が細って来て西瓜だけ食べたいと言い出して、家族が方々さがして買ってきた西瓜を枕元に運んでも食べようとしないので、そのままにしておく。夜になると「好きな梅干しのお粥なら食べられるかも」と気遣う嫁の顔を立てて、一口二口食べたぐらいで「もう歳だから、今日は何も入らんな」というようなやり取りをするうち、すっと息を引き取る。そういうものでした。

私自身、自宅で親たち（私の母と夫の両親）三人を看取った経験がありますが、かつては血を分けた家族や嫁に感謝しながらの大往生には、人間らしい伝統的な看取りの文化が色濃くありました。しかし今は自宅での死を望んでも、実際は八割以上の人が病院の中で亡くなるという、死が見えづらい社会です。家族みんなが見守る中で祖父母が死に逝く姿を見るのは自然なことなんです。犬や猫でもいいから、子供のうちからそれを見ることで死を学んでいくべきなのです。

幼い頃祖母の仏壇には、地獄極楽の絵などもおいてあって、私はその説明をせがんでいました。その時に「嘘をついたら閻魔《えんま》様に舌を抜かれるよ」、「悪いことをすると血の池地獄に落ちるよ」などとおどされて育ちましたが、それはそれでよかったですね。それはいかにしてこの世を生きるべきか、という土俗的な倫理観でした。またその一方では、お墓参りに行くたびに「人はみないつか骨になって墓の下に入る」とも教えられた。

人間に生老病死があることは、いつの時代も変わりません。それなのに戦後教育は「生」を唱えるばかりで、人間の「老・病・死」をしっかり見つめることを教えて来ませんでした。

以前訪ねたあるチリの修道会は、シスターたちは夜六時頃には夕食を済ませて、夜の祈りの後で貧しい人の家に出向いていって、夜通し病人の看護にあたることを任務にしていました。翌朝、家人が起きるまで付ききりで世話をするという、ほとんど陽に当たらない生活のため、修道女の多くが三十代の若さで結核で亡くなると聞かされました。夜中の病人の介護は身内でさえ辛いものですが、彼女たちはまさしく捨て身で生きていました。そういう人たちがいると知ることは、私の中で大きな意味を持っていましたね。

もう一つ、イタリアで見たのも、死に関わる生きている者の任務でした。ローマの「城外の聖パウロのバジリカ」に行った時のことです。いつになくたくさんの観光バスが停まっているのはなぜだろう、と思いながら入りました。すると薄暗い中に大勢の人が溢れていて、目が慣れると車椅子の人がかなりいるのがわかった。連れの人が驚いたんだそうです。

「車椅子の座席の上に、毛布でくるまれた小さな人形があると思って見ていたら、突然パパパパパッと口を開けてお祈りを唱え始めたんです……。手足がないので子供のように見えましたが、息が止まりそうでした」

実は、そこに集まっている全員が重い病人か障害者だったのです。ほとんどが病人とつき添いのシスターという異様な光景を見て、いったいどういう団体なのか、一人のシスターに尋ねると、重病人を希望する聖地に運ぶための修道会でした。

バスの台数が多かったのは、健常者のように一人一席ではなく、横に寝かせられた人が多いからでした。付き添いのドクターが必要な薬を飲ませたり、痛み止めを打ったりすることもあるようですが、途中で死んだらどうしてくれる、などとは誰もいいません。彼ら重病人の人生の目的は、もはや生き延びることではなくて、この世の最後に一生に一度は行きたかった聖地で祈りを捧げたいということなんですから。それをかなえようとする修道会の人々もまた捨て身でした。

延命ではなく、最後の希望をかなえてあげるのが人間の幸せだと考えていることに、私は心の底から感動しました。今でも続いているかどうか知りませんが、この二つの修道会は、私に人間の基本というものを教えてくれたと思うのです。

人間を取り戻すために

十九世紀半ば、フランスとスペインの国境に近いピレネー山脈の中のマッサビエル洞窟で、薪拾いをしていた十四歳の少女のところに、十六回にわたって聖母マリアが現われて「ここを掘りなさい。湧き出る水で病人が治るから」と命じると、言葉の通り、こんこんと泉が湧き出てきたと伝えられたのが、今もカトリックの聖地として巡礼の人が絶えないルルドです。

ノーベル医学賞を受賞したアレクシス・カレルは、自分が治療していた絶望的な患者がこのルルドの泉によって治るのを現実に目にして以来、「ルルドの奇蹟」を信じるようになったといいます。けれどそれは私が思うに、聖地ルルドに本当にマリアが現われて、その泉に浸かると失われた手がもう一度生えてくるとか、見えない目がふたたび見えるようになったという事実を求めているのではない。ただ、病気でも瀕死であっても大切なのは、その場所に行くことで人間を取り戻すことというか、生きる目的を自分なりに発見することなんでしょうね。生きて行く上で困難がない人生なんて、多分この世にはないのでしょうから。その困難の中から、生き方を発見し、その困難の意味を見つけるという経過を体験したことは、私にも何度もあります。

ルルドには、明日をも知れない病人が毎日何千人とやって来ます。ヨーロッパ中から特別に仕立てた病人列車が入る日もあります。病気の重い人は酸素吸入器や点滴装置をつけたままで寝台に載せられ、蠟燭《ろうそく》を灯したミサの行列に加わります。私が行った復活祭の時には、真っ青な顔をした子供、死の直前に見えましたけれどね、その子を父親が手押し車に乗せて行くと、通りがかりの人たちが「ハッピー・イースター」と絶え間なく二人に声をかけていました。そこには確かな人間の連帯というものが感じられました。

かつて左翼運動が盛んだった頃の革命歌「インターナショナル」のような世界中で歌われた共通の歌がなくなった今でも、「ルルドのマリアの歌」は全世界の人が歌えるんです。最初の部分はさまざまな国の言葉で歌われます。例えば「日本のグループがいますので、お願いします」と伝えると、順番が来ると日本語で歌われ、それから「アヴェ、アヴェ、マリア」というリフレインの所だけは何千人もの大合唱になります。スロバキア語やポーランド語などさまざまな言語で歌われますけど、合唱の部分は皆で歌うんです。

病気と健康、生と死、それらすべてが「こみ」で人生なのだということを、感覚的、視覚的に教えてくれる大行列、祈りの大合唱こそがルルドの奇蹟なのでしょうね。その場所で祈りたい、途中で死んでもかまわない、その気持ちが自分という人間を取り戻させるのです。もちろん自ら望んで来るのですから、医学的な効果がないからといって訴えようとする人など誰一人いません。

結局のところ、老いも死も、人間が人生をいかに解釈するかに尽きるんですね。希望はみな違っていてかまわないし、それに対して妙な規則を適用してもいけない。明らかな犯罪は別として、一人ひとりが自分の自由の範囲においてどのように生き、どう死ぬか、各々の勝手で決めていいのです。自分の考えと合わないから、社会の風潮や傾向と違うから駄目だと決めつけ、顕微鏡を覗くような狭いカテゴリーで批判してはいけません。

生物学的には、動物の心臓は十五億回打つとお終いなのだそうです。人間に換算すると四十歳ぐらいで、私自身はすでに八十歳ですから、せめて自分一人ぐらいはこの先医師にかかるのを止めて、最期にひどく苦しまないようにさえしてもらえれば十分と思っています。

最近、ある小説の取材で、臓器移植は血液型が不適合でもかまわないと聞きました。医師の話では、脳死でも通常死でも、脳と大腸以外ほとんど移植できるそうで、かかる時間は三時間ぐらいだという。死んでからも他の人のお役に立てると考えれば、それも楽しみなことだと思います。

私は今、後期高齢者の健康保険をできるだけ使わないようにしていますが、もう自分は十分長く生きたから使わない、というのは好みでやっているんです。しかし、自分自身で考えることをせず、危機に対する対処能力を欠いたまま歳を重ねていって、国民の誰もがとにかく安心と長生きとを要求する状況になってしまったら、年金も医療も介護も、とても国家として維持して行くことはできません。

老人は残された時間という意味では、若者よりお金を持っています。その老人ができるだけ払わずに何でも国家や社会に「してもらい」、できるだけ甘えたいという考えは、老人の、というより人間社会の敵かもしれませんよ。

最近は身の廻りでも何かにつけてタダ、無料がもてはやされます。私の年になると映画館も乗り物もシルバー料金ですが、私はたとえ二百円でもバスの料金を入れるようにしているんです。運転手さんだって何人かに一人ぐらい「チャリン」と音をさせてお金を入れてくれないと、タダ乗りばかりではつまらないでしょうから。私は多分、物質主義者、拝金主義者なのね。

人間は神様の道具

この国では、十三年連続で自殺者が三万人を超えました。他国もかなり多いようですね。統計の取り方はまちまちですが、あるデータによると人口十万人あたりの自殺者数で日本は世界で五番目に多く（二十四・九人）、韓国ではそれより高い三十一人で二番目、以下、ロシアが二十三・五人、フランス十七人、中国十三・九人、アメリカ十一・一人、などとなっています。それが多いか少ないかは別として、私が言えるのは「この世には、生きたくても生きられない人間が大勢いるのに、自分から命を断つなどというあてつけがましいことはやめた方がいい」ということです。

とはいえ、自殺してしまった人について他人が決して裁いてはいけない。死に方が人に迷惑をかけるようなものでないことは最低条件ですが、その人が最後の最後にどういう思いでいたのか、他人には到底うかがい知れないことだからです。

そして大体において自殺を選んでしまうのは、責任感が強くて真面目な人ばかりです。秋葉原の歩行者天国にトラックで突入し、見ず知らずの人にナイフを振りかざすような、不誠実で自分勝手な人間には自殺などできません。

宗教学的に正確な言い方ではありませんが、人間は神様の道具（God's Tool）です。つまり、神から見ればそれぞれの人間が、紐なのか鋏《はさみ》なのか、お皿なのか包丁なのか、それはわかりませんが、いつどういう形で使われるかもしれないままに、いつか必ず出番がある。それまでもったいないから取って置きなさい、ということです。

この世には一体どうしてそうなるのか、予測も見当もつかないことが起きるものです。別に神がかりではありませんが、数年前に実際にあった話を紹介します。

ある時、関西地区の司教から電話がかかってきて、いきなりこう言われました。

「東ティモールが荒れ果てていて、満足に動く車さえないという状況です。大手の宅配会社が2トン車を二十台寄附してくれるというのですが、輸送費が二千万かかります。曽野さんのところのNGOに出してもらうことは無理ですか？」

国民のほとんどがカトリック教徒の東ティモール共和国は、長年の紛争を経て、二〇〇二年にインドネシアから独立を果たしたばかりでした。私は、ちょっとびっくりしたんです。電話一本で二千万出してくれと言われても、金額が大きすぎて簡単には出せる額じゃありません。とにかくその日は何も返事をせずに電話を切りました。

それから数日後に、知らない女性から自宅に電話がかかって来ました。

「私はクリスチャンではないので、どうやって曽野さんに連絡したらいいかわかりませんでしたが、ある教会を通じて教えていただきました。実は先ごろ兄が他界して、その遺言状に、自分の遺産の一部を曽野さんのNGOに寄附して欲しい、と書かれていて……ようやく事務的な手続きが全て済みましたので、受け取ってもらえないでしょうか」

ということだったのです。

「それはそれは。本当にありがとうございます。失礼ですが金額は――」と尋ねると、女性は「二千万円です」と言うのです。

偶然の一致と言うにはあまりに出来すぎで、何だか気持ちが悪くなりましたが、小説でもない、嘘のような本当の話です。司教に電話でいきなり二千万円と言われた時は、そうそう甘く見ないで下さいと言いそうになりましたが、そうやって試行錯誤をしているうちに、物事は不思議といいところへ落ち着いていくことがあります。

実はその前にもその司教から電話があって、インドにコンピューター学校を建てたいのでお金を出してくれないか、と言われたことがあるんです。私は「学校はかなりお金がかかりますし、田舎の埃っぽいところでコンピューターなんて無理でしょう」と言って断りました。けれども結局それが縁になって、その田舎町に、不可触民と呼ばれるヒンドゥ社会で最下層の子供たちのための、最初は幼稚園、次いで小学校、という具合に徐々に建て増していくことになり、次はプレ大学を建てようというのでお金の算段をしていた時です。ある大手銀行から突然、電話がかかって来ました。

「あるご夫人が、亡くなったご主人の財産整理で、曽野さんの所のNGOに寄付したいと言っておられます」

「それはたいへんありがたいお話ですが、どうぞくれぐれもお急ぎにならないようにおっしゃってください。まずその方に一度ぜひ、私たちの会（JOMAS）にお越しいただいて実情を見てからご判断頂くのがいいと思うのですが……」

しかし担当者の話では、その女性はひどく足が悪くてそれは無理ということでした。その直後にご本人から直接電話があり、彼女は最初に「三分だけよろしいでしょうか」と礼儀正しくおっしゃってから「私、子供の頃のあなたを知っているのです。聖心に通っていらした小学生の時からよ」と言います。何十年ぶりかの同窓生に驚いていると、彼女はその後数十年間を車椅子で夫と共に過ごしてきた。その夫が他界したので遺産の一部を寄附したい、と言うのです。

それ以来、その方は、何しろ昔の上級生ですからね、時々三浦半島の別荘に車で遊びに来て下さるようになったんです。私の手料理で、食事をしながら色々な話をするようになりましたが、これも元をたどれば初めはとうていむずかしいと思っていた「司教様」がらみの仕事を、私たちができるようになった、ということなんですね。

同じ神父でも本当に貧しい地域でゴミ集めや何かをして、人助けをする人もいれば、大金を出す仕事を人に命じる人もいる。私はそのどちらも役に立つ神様の道具なのだと考えています。

どちらの出来事も自分の考えでは思いも寄らないような、配慮しようがないことが重なっています。自分は踏ん張って動かないぞ、と意を決する時もあれば、どんなに努力してもうまくいかないので情けなくなる時もある。しかし、だからといって努力しない人の前には多分道は開けないんだろうとも思います。

人間には、悲観する、つまり悪い方へ、悪い方へと考える能力が必要です。綺麗な湖、美しい入り江を眺めながらでも、彼方に見える火山が噴火するかもしれない、津波が来たらどこまで水位が上がるだろうか、いつでもそう想像してみることです。

昔のカトリックが行っていたラテン語のミサでは、「メアクルパ（おお、我が罪よ）」と小さく呟きながら自分の胸を三回叩く、という数秒間がありました。その時、皆何を考えているんでしょうか、私にはわかりませんが、多分皆大した悪いことはしていないんですよ。「今日は年老いた母とケンカしてしまった、もう少し優しくしようと思っていたのについ厳しくなってしまった、庭の花を駄目にしたぐらいで怒らなくてもよかった」――何でもいいのですが、そうやって自分の小さな罪を告白し反省することは、人間にとって自分に向き合ういい機会です。

日本と違って、アフリカでは車のパンク、旅の途中の追い剝ぎ、荷物の不着、泊まるはずの宿に部屋の予約をしてあってもその約束が守られないことなど珍しくもありません。ですから私は、いつも相手を信用しないであらゆる悪い事態を予測する癖がついているんです。でもたいていそんな悪い人ばかりじゃありませんからね。ことが順調に運ぶと私はいつも心の中で自分の非を詫びています。そして幸運を感謝するんです。

人が生きて行く中では、時には本当に悪い目に遭うこともあれば、思いもかけなかった幸運を与えられて、大いに喜ぶこともあるものです。そのぐらいの、いいかげんさをもって生きた方が楽なんです。

第八章　「人間の基本」に立ち返る

超法規では一人ひとりで対処する

東日本大地震とそれに続く原発事故は、私たち人間に予想外に早く「本当の答え」を出しました。と同時に、あらためて幾つかのことを確認させたと思います。

まず、安心して暮せる生活などあり得ない、ということです。それまでに私は繰り返し言ってきたんですよ。この国では選挙のたびに政治家が口を揃えて「皆さまに安心して暮らせる、安全な社会をお約束」し、国民はそれを鵜呑《うの》みにして来ました。でも、これほど明瞭な嘘はないんですよ。安心して暮らせる人生だけはどこにもない。

でも驚いたことに、地震の後でもまだ、政治家も高齢者も「安心して暮せる」という言葉を使っていた。どれだけひどい目に遭えば、眼が覚めて、現実が見えるんでしょうか。

戦後日本が妄信してきた民主主義は、電気が止まるのと連動して一時停止する、せざるを得ないものです。電気が供給されないような非常時の指導者は民主主義的な選挙を経て選ばれた首長ではなく、それとは別次元の長老や顔役になります。もちろん、私たちには明かりのある間に蓄積された知識や経験があって、それは停電下でもある程度維持されます。しかしそれでも、民主主義社会は停電によって一時的に部族社会に戻る、消える瞬間があるということです。

民主主義が消えると、今まで使い馴れていた法律や規則の意味がなくなります。恒久的な最高法規とされている憲法から会社の就業規則のようなものまで、それまで従っていたルールが失われてしまう。いわば「超法規」の中では、個人一人ひとりが対処する他ありません。

けれども今回はそれができないケースが、あまりに多く見受けられました。その象徴がマスコミで、連日の会見や報道を見ていると、彼らの頭の中が常時の延長でしかないことがよくわかりました。

「物資は平等に行き渡っていますか?」とか、「明日はどうなりますか?」という質問、明日をも知れない非常時にあって普段と同じ質問しかできないんですね。

同じことは政府の被災者への初期対応にも表れていました。道が寸断されて救援が入れず飢えと寒さに苦しんでいる人たちへ、なぜ物資の空中投下（エア・ドロップ）ができなかったのか。水や食糧、暖をとる携帯カイロや毛布など、急場をしのぐ最低限の物は投げ落せばどんな所にだって届くんですけどね。

物資の投下は海外では常識です。それをしなかったのは法規上の理由からだそうですが、米軍のヘリなどは「やむをえず不時着したが、積載物が多すぎたので荷物を降ろして飛び立った」といって手続きなしで物資を運んだと聞きます。日本側の硬直した姿勢とは正反対の、まさしく超法規の行動です。

現代の日本人は「超法規」と言うと、あたかもルール無視の悪いことのように考えますが、私のいう超法規とは、いかにして周りの人たちを守り、一刻も早く法規の世界に戻すか、つまり人間が人間に対して何をできるか、ということを基本から考えることなんです。

人間の体の中には内蔵された本能のようなものがあって、食事や排泄、性的なもの以外に、目の前で転んだ人がいたら助け起こす、火がついたら水をかけて消す、という人を助ける性質があるのです。こういうことは、学歴とも知能とも関係ないでしょう。高校に行かなかった辺地の高齢者だって取れる処置です。転ぶ時はまず頭を守るために手が出るはずが、顔から着地する人が最近増えているというのは、本能自体が弱っている証拠かもしれません。

だいぶ前のことですが、私が携わっている海外邦人宣教者活動援助後援会（JOMAS）から「国境なき医師団」へ寄附をした縁で、日本での講演会に招かれました。講演が終って質疑の時間に移った時、日本側の学生らしい質問者の一人が尋ねました。

「あなたがたは、活動する国での医師法をどうクリアしているのですか？」

彼らは世界中の硝煙立ち込める紛争地や、被災地の瓦礫に囲まれて非常時の活動をしているのです。フランスの医師は一瞬絶句してから、逆にこう問い返しました。

「そこに怪我をした人や病人がいる。私たちは医師としての技術と、医薬品を持っている。助けを求めている人を救うのに、それ以上何のルールが要るのですか？」

この質問こそ、最近の「知的な」日本人の典型的な形でしょう。それが人間の暮らしと基本的にどうかかわっているか、より、ルールにどう抵触しないかしか考えない人たちです。それが今度もまったく同じように出ていました。

法律も制度もあくまで人間が作ったものであって、非常時には停止したり、弱体化したりもする。やがて状況が落ち着いて常態に戻った時にはルールの世界に戻るとしても、非常時にはそれを壊して生きる必要があるのです。

自分で考え、臨機応変に

二十年ぐらい前、聖書の勉強をするためにシナイ半島の砂漠にいた時でした。兵員輸送車みたいなトラックに乗って野営をしながらの移動中、時々安いオレンジが配られました。私が剝いた皮を荷台からポンポン投げ捨てていると、隣の日本人が、どこに捨てたらいいかと困っている。集落の中なら山羊が食べてくれるだろうし、砂漠のど真ん中ならすぐに乾きますから、捨てていいんです。行儀がどうとかいう以前に頭が硬直化しています。

最近、知人がこんな話をしていました。インドで暮らした経験もある生活力旺盛な彼女が地震の後、部下の女性に「明日は運動靴を持って来なさい」と指示したところ、言葉の通り運動靴を持ってきたまではいいのですが、ソックスはなかったというのです。スティーブンソンの『宝島』には、長い航海中に誰が食べてもいいようにたくさんの林檎が入った樽が出てきます。その女性によると、今回の地震の後、スーパーでは腐りやすいバナナが買い占められ、その隣で日持ちのするリンゴが山積みになっていたといいます。

要は、自分が荒野に放り出されたらどうするか、非常時の対応ができないのです。

地震直後に何をするか、はその人によって違うでしょう。まず家族を捜す人、とりあえずトタン屋根を拾ってきて夜露をしのぐ場所を確保する人、いろいろでしょうね。避難所であれば、薪になるものを集める、石やブロックで竈《かまど》を作る、鍋釜を拾う、使えるものをかき集めて急場をしのぐ備えをする。何でもかまわないのですが、ただし「何をするか」、その答えは臨機応変に自分で考えて出さなくてはなりません。

世界中のスラムでバラックの屋根を見ていると、住人が新しいか古いかが簡単にわかります。どのスラムでも最初はどこか既成の壁に一枚のトタン板を斜めにさしかけただけのものなんです。それが数日経つと、次第に砂埃や雨漏りを防ぐような工夫が加えられ、時間とわずかずつのお金をかけて、合わせ屋根になって行く。それは身ひとつの非常時からはじまって、平時へ移行する一つの形なんでしょう。

不平等は当然である

民主主義は停電によって暫定的に停止する、という話を元外交官にしたところ、「電灯や電気が止まっても、絶対にそんなことありません」と全否定されました。この方は先進国の大使ばかりなさったんでしょうね。しかし、アフリカやアラブではそうなんです。

電気が止まると鉄道が止まる、信号が動かなくなるなどさまざまな影響が生じます。けれどそれ以前の問題として「平等と公平」が不可能になるのです。平等と公平はもともと人間社会に自然にはないものですが、超法規の下ではいよいよなくなるということです。

例えば、限られた薬を誰にどれだけ与えるか、あくまで公平を期すというなら一人ひとりの既往症や病状、年齢、家族構成などすべてを把握しなくてはなりませんが、非常時にはそれは不可能です。

不平等は当然として受け容れるしかない。さらに私のような老人や体力のない者、死ぬべき運命にある者から先に死んで行くのは避けようがないことです。

三十年近く前、私はマダガスカルの産院に取材して、現実に行われる命の選別をテーマに『時の止まった赤ん坊』という小説を書きました。それを読んだある看護師のシスターに「トリアージも題材になさったんですね」といわれましたが、私自身は当時トリアージという言葉さえ知りませんでした。

トリアージ（triage＝識別救急）とは簡単に言うと、災害や大事故のような医療資源が限られた非常時に、すでに手遅れ、急を要する、多少はもちそう、という具合に怪我や病気の人に生きられそうな可能性の順位をつけて選別して行くことです。私も自分が医師だったら、生かすなら老人より若者、薬が足りなければ少しでも可能性の高い人に与えるに違いありません。

私自身が年を取ってからますますはっきりと、非常時には老いた人間から使い捨てる、広い意味でのトリアージがあっていいと思うようになりました。なりましたが、たくさんの高齢者はそれに反対でしょうから、それを他人に適用することはしません。自分の心の中で確認しているだけです。そして後期高齢者の決死隊など足手まといといわれるかもしれませんが、今度のような生命に危険が及ぶ事態に役立てるなら喜んで行くのだけれど、と思っているんです。

戦後教育は、人間は常に平等であり公平に扱わなくてはならないと教えて来ましたが、非常時には、むしろ順位をつけるのが命に対する平等でしょう。

テレビのワイドショーでは、東京二十三区のほとんど（葛飾区と足立区を除く）が計画停電を見送られ、神奈川県下の百二十七万戸が停電したのは切り捨てで不公平だとしきりに怒っていました。しかし東電は公言しないとしても、それは「当然の不公平」なのです。

大平内閣の当時、私は総合安全保障研究グループのメンバーでしたが、東電の幹部は「非常時に電気が駄目になった時、真っ先に電気を引くのは総理官邸です」と言っていました。都心には首相官邸があり、各省の大臣、あらゆる企業の最高責任者が二十三区にいる。それぞれの能力の問題は別として、一時的にせよ民主主義が停止あるいは弱体化している中で、復旧のために必要な権力と判断が集中するところから先に電気を引くのは当り前だと私は思っています。

辺りが真っ暗で都知事の家だけ煌々と電気がついていたとしても、仕方がないどころか当然の処置がなされているとして、私は安心するでしょう。それがわからないほど日本人は馬鹿ではないと私は思います。

非常時に備える

私はアフリカでは、独特の泊り方をするんです。宿に着いたら真っ先にシャワーか蛇口か、とにかく水の出る場所に行ってバケツいっぱいに水を張ります。どこにでもバケツは置いてあるんです。大抵の同行者は辺りを散策したりしていますが、日が暮れて宿に戻った時には水が出ないことなど日常茶飯事です。私は本当にズルイというか、身勝手なんです。周囲は用心深いとか気が小さいとか言うかもしれませんが、私は今でも遊牧民のように頭も体も洗わず、洗濯もせずに寝るのはいやなので、こうして自分なりに備えておくわけです。

東京の自宅でも、ずっと前から四百リットルの水を常備しています。二リットル入りのペットボトルで二百本、空気にふれないように蓋まで水を入れて、本当は時々ゆすっておかなきゃいけないいんですけどね。船の航海用の真水は常に揺られているから腐らない、という話を聞いたからです。

別に戸建てでなくても衣装ケース二つ分、数十リットルぐらいの水は都営住宅のベランダでも貯めて置けるはずで、必要ならば煮沸して使えばいいのです。どの家庭も、水だけでなく、厚い布団より断然暖かい寝袋、非常食であり容器にもなる缶入りの乾パン、懐中電灯、使い捨てカイロ、ラジオ——電気が停まっても当分はしのげるだけの備えをしておくことが必要だと思いますし、時には全国規模で緊急停電の訓練をするぐらいしてもいいんでしょうけど。

もともと私は自分も他人も信用していないんです。日本人は、政治家以外は皆、賢くて教養がある人がたくさんいて、誰でも平時にはいい人です。しかし政府が自然災害の後食料や水やシェルターを与えてくれなかったら、多分日本人もモッブ（集団的暴徒）

になるでしょう。真先に私自身がそうなりそうだから、私は個人的に、弱い自分のために備えていたんです。暴走する牛の群れみたいにパニック買いに走れば、その中で他人を踏み殺したり、自分が踏み殺されたりということにもなる。店のショウウィンドウも壊しかねないその醜さは、できれば自他ともに見たくはない。それに私はケチでもあるし怠け者でもあるので、ふだんから揺れて倒れやすい物の下に、美術館などで使うようなテープを貼っているのも、倒れた物を元に戻して掃除をするのが近年だんだんと辛くなって来たからです。

東京周辺でも買占めは水に米や納豆、トイレットペーパーなどさまざまな品目に及びました。ただ、その中には紙オムツのように昔はなかったものもあった。紙オムツが買えなければかつては古浴衣の生地で作ったように、着なくなったTシャツでも使えば済むはずなんですけど、その才覚もない人が多いんでしょうね。

便利が当り前になってしまって、自分の知恵で対処できなくなっていることが大きな問題です。オール電化も停電で全てストップしてしまうわけですが、進みすぎた電化生活に浸っている姿勢を見直す必要があります。

停電はしょっちゅうで、夏の暑さは団扇かせいぜい扇風機、冬は厚着して火鉢でしのぐ、それはさほど遠くない昔の暮らし方でした。これから原発をどうするか、どのぐらいの容量を電力会社に求めるのか、それは国民自身の生活への意識によるところが大きいでしょう。

ただし、自分は今まで通り自由に電気を使いたいが、原子力には反対というのだけは認められません。この種の捻《ねじ》れた主張は日本にありがちで、例えば沖縄の全駐労（全駐留軍労働組合）のように、米軍基地は出て行け、しかし首切りには反対だと彼らが言った時、私はほんとうにこの矛盾した論理に困惑しました。

基地を撤廃せよというなら、石にかじりついてでも他の仕事を探す、或いは本土にいる家族親戚知人がみんなで支え合う、ひいては自分たちの安全は自分たちで守り通す、という代償を覚悟しなくてはならないんです。

運に向き合う訓練を

以前、自衛隊の机上訓練を見学したことがあります。隊員たちは赤組と青組に分かれ、双方同じ数の兵員と武器を持ち、建物の違った階に陣取ります。当時の仮想敵国ソ連の赤組が、北海道の稚内近くから上陸して来たのに対して、青組が防衛の作戦を立てていきます。

例えば、青組が夜に索敵《さくてき》つまり斥候《せっこう》を出そうとすると、すぐさま審判役が「月齢は幾らか」と訊く。当時は今と違って暗視カメラなんてものも普及していなかったのでしょう、即座に答えられないと作戦行動として減点です。そういう戦闘行為を幾つも積み上げながら、記録に残っている限りの戦史上の要素と照応しながら、約一週間かけてコンピューターで勝ち負けを判定するらしいんです。

その時最も印象に残ったのは、その仕組みの中に必ず何パーセントかの「運」を加味することでした。月齢が幾つであれ、天候によって視界が良いことも悪いこともある。また、私のような見学者は違った階にも自由に行くことができて、青組で「いま赤には戦車何台残っていますか？」と聞かれたりしたんです。その時、私は本当でも嘘でもどんな答えをしてもいいんです。世の中には、正直者も嘘つきもいますから、そのどちらにも対応するように、どんな状況でも運という要素をしっかり計算に入れているんですね。それが本当の戦い方というものです。隊員の一人に「運が悪くて負けたとしても、素晴らしい訓練ですね。むしろ負けた時こそ、得るものの大きさがおわかりになるわけですね」と私は言ったんですけれど。

彼らの運についての考え方は、運の存在を知りつつ、しかしそれに打ちのめされず、進むべき道に運が立ちふさがった時でも戦う、という覚悟でしょう。自衛隊だけじゃない、私たちは誰でも、それ以外の形で戦うことはできないんです。

運というものは人生にも通じます。どれだけ計算したところで、思い通りにうまく行くものではない、ということです。逆に、大して計算もしなくても棚ボタもあるから、その時は素直に喜べばいい。大事なことは、幸福の絶頂でも、絶望のどん底でも運はゼロではないということです。

日本では自衛隊と軍国主義を結びつける考え方が根強くありますけれど、自衛隊は国家として心身共につり合った制度として考えるべきものです。大人たちが代償なき平和を若者に教えこんだために、国家のために死ぬなんてひどい、国民に死を押し付けるのか、という甘ったれた若者ばかりになってしまった。

平和は、口で唱えていても現実にはならないものです。周辺から侵入する国は必ずある。平和というものは、時にはそのために死ぬ覚悟さえして守るものなんです。おきれいごとで平和が達成できるような錯覚を与えたのは大人たちの責任で、戦後教育の大きな誤りだったんです。

悲痛な義務として「喜べ」

第二次大戦中、アウシュビッツの収容所の中で合唱隊が作られ、誰もが死と向き合っている状況でも歌っている時だけはそれを忘れられたという逸話があります。では彼らが心から楽しかったのかというと、決してそうではなかったでしょうね。

新約聖書の「聖パウロの書簡」に「喜べ！」という命令の言葉が繰り返し出てきます。この状況で喜べとは不謹慎ではないかといわれるかもしれませんが、それは感情として心から今を喜びなさいということではなくて、人間の悲痛な義務として、意識としてそうしなさい、という命令なのです。

以下は産経新聞の「正論」でも書いたことですが、戦争中の危険と貧困を体験し、世界中の貧困の僻地を見続けてきた者として大震災に際しても「喜んだ」「喜ばねばならなかった」ことを再録します。

○日本人全体に基礎学力、勤勉、忍耐の力があり、不幸を撥《は》ね返す創意と意欲を蓄え、正直であった。

○「義を見てせざるは勇なき也」という気風さえ、戦後の教師たちが全く教えなくとも、民族の心に奇蹟のように残っていた。

○泣きわめくような附和雷同型の人は被災地にはほとんどいなかった。感情的になっても、ことは解決しないことを日本人の多くは知っている。風評に走らされた人は、むしろ被災地から離れた大都市に見られた。

○地震当夜、野天で寝た人は例外で済んだ。皆どこかの堅牢な壁と屋根のある避難所に入れた。どこの国でも可能なことではない。

○この混乱の中でも荒々しい略奪、放火、暴徒化、集団レイプが起きなかった。犯罪は日常の範囲内で起きる程度で済んだ。遺体や倒壊家屋からの盗み、壊されたコンビニへの侵入や持ち去り、義捐《ぎえん》金詐欺など、極めて人間的な範囲の悪にとどまった。

○瓦礫《がれき》を片付ける重機、壊れた施設と機械を修理するためのパーツの生産機能と優秀で献身的な技術者がどの地方にもたくさん残っていた。高圧放水車、放射能防護力を持った戦車のようなダンプ。その他さまざまな特殊機能を持った車輌、船舶を、自衛隊、警察、消防、海上保安庁、アメリカ軍が保有していた。水とガソリンのタンク車などもたくさんの台数が準備されており、道路がすばやく開通したので順調に機能した。瓦礫を長い年月自国で処理できない国もある。

○日本は東西に長い国で、全身麻痺に陥ることなく、せめて一時的半身麻痺で済んだ。半身が健全でいたら復興はできる。原発事故が日本の東海岸で起きたことも不幸中の幸いであった。偏西風が長い眼で見ると放射性物質による被害をやや小さくしてくれるはずだ。

○日本の物流機構の世界に冠たるレベルがすばやく回復し、危機をかなり回避した。

○人工透析患者に対する手当てさえすばやく考慮された。アフリカではふだんでも透析をしてもらえる患者などまずいない。

○整然と列を作ることのできる国民だった。これも大混乱を防いだ偉大な理由である。
○今回の被災者は災害の直後から自分たちで生活を続けるために働きだした。国民全てに自治能力があるとは限らないのである。
○事故が起きたのは冬の終りだった。時々雪が降っても、春はそう遠くないから。

「喜べ」とは、物事の見方を意識して変えること。この世はオール・オア・ナッシングではないのだから、どんな悲惨の中にあっても一脈の希望の光明は見つけられるし、一方では、どんなに順調と思える時でもひっくり返される脅威は常にあります。

私は、この世では全部が悪ということも、全部が善ということもないと言い続けて来ました。原発事故があってもなお推進しようとするのか、ここで止めようと舵を切るのか。穿《うが》ちに穿った見方だとしても、福島原発のケースがその判断材料を一気に提供することになるなら、世界的貢献といえなくもないのです。

土地の古老や先祖代々の言い伝えは、マスコミが作る後付けの理屈よりはるかに正しいと私は思います。マグニチュード9という大地震によって起こった大津波と原発事故とは、厳密に分けて考える必要があります。

原発事故の対応をめぐって東電は袋叩きになっていますが、東電の全てが駄目だったわけではないと私は思います。私が知る限りでも、川崎の火力発電所は地震が起きる前から、いつでも稼動できるように磨いていた。何かあれば都市部に抵抗なく電力を送るためです。前にふれた東電幹部も「当社に重役が多いのは、これが死んだらこちらへ、こちらも死んだらそちらへ、と非常時の指揮・命令系統を何重にもしておく必要があるからです」と言っていたものです。あるところは立派でした。

「千年に一度」を東電が想定していなかったのは、一方的に責められることなのか、日本人全体の責任なのか、冷静に考えることが将来のエネルギー対策を決める鍵になります。幸い日本にはそうした知識を指導できる学者がたくさんいて、少数が思想を左右する危険を防ぐことができるはずです。

人間は、自分が生まれた場所と時間を変えることも、過去まで遡《さかのぼ》って運命や歴史を変えることもできません。責任追及も必要ですが、非常時には無意味なことです。

『渚にて』と「日記」の間で

一九五〇年代にネビル・シュートが書いた『渚にて』は、グレゴリー・ペック主演で映画化もされました。核戦争が勃発して北半球が壊滅する中、アメリカの潜水艦が南半球のメルボルンに寄港する。放射能汚染は南半球オーストラリアにも迫ってきますが、人々は延命よりも住み慣れた土地で残された時間を生きることを選び、艦長もまた軍人として乗員と共に自沈する道を選ぶ……。シュートは技術者でもあり、文学的評価が難しい部分もありますが、極限のマイナス状況を描いた名作だと思います。

そしてもう一つ、十七世紀イギリスでサミュエル・ピープスが残した「日記」という傑作があります。ピープスは「イギリス海軍の父」と呼ばれたほどの人物ですが、十年間にわたる詳細な日記には、ペストが大流行し、ロンドンが大火に見舞われる最中でも浮気に耽る自分のこと、卑怯に立ち廻る人々の姿などが克明に描かれている。読むたびに私は人間性にあふれた文学の魅力を感じます。

文学には予見性がある、という言葉に倣うなら、震災後の私たちはこの二つの作品の中間にいて、これほどアップ・トゥ・デイトな読み物はないと思うのです。

二十年ほど前、上坂冬子さんに誘われて、パリから百キロ、東京で言えば宇都宮か小田原辺りの近郊にある原子力発電所を見学しました。私は何しろ原子力発電所には興味がなかったんです。勉強したのは水力発電所の建設工事だけでしたから。ただ上坂さんについて行ってふらふらしていたら、上坂さんが別室にいた職員に何か質問をしろと言うんです。私は何も質問することがないので、「もし、お腹が痛くなって休んでいる時に非常ベルが鳴ったらどうするんですか?」などと聞いて、上坂さんに「もっと知的な質問はできないの!」と言われたものでした。

もともと私は理工系に弱いし、原発が安全か危険だらけなのか、エネルギー政策上要るのか要らないのか、そういう基本的な意見さえ持ち合わせていないし、多くの人が憂慮している放射能の人体への影響についてもよくわからないとしか言えません。

放出された放射性物質の広がり方は、その時の気象条件にも大きく左右されるでしょうし、やがて地球を一周すると考えれば、どこに逃げようが大差ないのかもしれない。もっと言えば、福島で事故が起きる前から「日本人の二人に一人はガンになる」といわれていて、十年後か十五年後にその可能性が上がることも多分現実なんでしょう。

種子島に火器が渡来した時、紅毛碧眼の西洋人を見た時、黒船が来航した時、コレラやスペイン風邪のような感染症が流行した時、どれも日本人にとっては随分気味が悪く、恐ろしかったことでしょう。

チェルノブイリ原発近くの居住禁止区域の中で暮らしている人に会った時、私が放射能を心配していませんかと尋ねると、一人の老人は「周りはほとんど人がいなくて、キノコもイモも採り放題、ウオッカを飲んでいれば大丈夫」なんてデタラメを言って実に幸福そうな顔をしていました。

放射能で死んでもいいから自分が生きてきた土地は離れない、という人がいても構わないと私は思います。生活には庶民のたくましさ、強さが宿っているものです。知は無知に優ると誰もがいいますが、知識ある人の弱さと哀しさもあれば、無知ゆえの健全と強さもある。私自身、その両方を卑怯に使い分けながら生きて来たつもりなんです。

戦争を知る者にとっては、食べ物がない苦しさも貧しさも人生には織り込み済みです。たとえ放射能で死ぬとしても、私は小説家として、この世のあらゆることは自分の感覚に拠ってしか見ないし、知識や他人の感覚で生きることはできません。

乳飲み子を抱えた若い人たちが避難するのはいいし、その一方では、死ぬまでその土地を離れないという高齢者がいても構いません。東京から関西や沖縄へ行く人もたくさんいます。七割ぐらいは年齢のせいかもしれませんが、私は与えられた運命から逃げ出すことよりも、その渦中にいることを選びます。

人間を作り上げるために

今日から明日へ、これからをいかに生き抜くか、そしてどういう形で生きて行くのか。そこに介在する運というものについて、私は思い悩むことはしません。あと数秒遅れていたら、あるいは違う道を通っていたら、それは今度の震災でも数多く語られました。しかし、それは自分で左右できる領域ではないのです。

石原慎太郎都知事が、大震災のすぐ後に「これは天罰だ」と発言して物議を醸《かも》しましたが、それは果たして誰に対してかと考えると、私自身も含めた全ての日本人にあてはまるかもしれませんね。自分はそうではないように意識していても、長く戦後社会で生きてきた以上、全く甘えがなかったとはいえません。

これからは政治家も「安心して暮らせる」を「いざとなったら」に置き換えて、人びとに訴えるべきだと思います。そうすれば「やや安心して暮らせる」ぐらいにはなるかもしれませんから。

そして国家は、非常時に耐えられるような教育を子供に与えることが大切です。水や食べ物、衣服など最低限の暮らしに馴れることくらいは訓練で簡単に身につきます。

この先どれほどＩＴ技術が進歩して、ボタン操作一つですばやく〝答え〟が見つかろうと、そこには体験と呼ぶに値するものなど何もありません。限られた人生の時間を無駄にし続ける、硬直した、精神の貧困な人間をつくるだけです。

常時ばかりではなく、非常時にも対応できる人間であるために、その基本となるのは一人ひとりの人生体験しかありません。強烈で濃厚で濃密な体験、それを支える道徳という名の人間性の基本、やはりそれらがその人間を作り上げるのです。

曽野綾子　1931(昭和6)年東京都生まれ。小説家。聖心女子大学英文科卒。79年ローマ法王よりヴァチカン有功十字勲章を受ける。『天上の青』『二月三十日』『貧困の光景』『老いの才覚』など著書多数。

Ⓢ新潮新書

458

人間《にんげん》の基本《きほん》

著　者　曽野綾子《そのあやこ》

2012年3月20日　発行
2012年7月5日　11刷

発行者　佐　藤　隆　信
発行所　株式会社新潮社
〒162-8711　東京都新宿区矢来町71番地
編集部(03)3266-5430　読者係(03)3266-5111
http://www.shinchosha.co.jp

印刷所　二光印刷株式会社
製本所　株式会社植木製本所

ISBN978-4-10-610458-9 C0210